生物と無生物のあいだ

福岡伸一

講談社現代新書

1891

プロローグ

私は今、多摩川にほど近い場所に住んでいて、よく水辺を散策する。川面を吹き渡ってくる風を心地よく感じながら、陽光の反射をかわして水の中を覗き込むと、そこには実にさまざまな生命が息づいていることを知る。水面から突き出た小さな三角形の石に見えたものが亀の鼻先だったり、流れにたゆたう糸くずと思えたものが稚魚の群れだったり、あるいは水草に絡まった塵芥（じんかい）と映ったものが、トンボのヤゴであったりする。

そんなとき、私はふと大学に入りたての頃、生物学の時間に教師が問うた言葉を思い出す。人は瞬時に、生物と無生物を見分けるけれど、それは生物の何を見ているのでしょうか。そもそも、生命とは何か、皆さんは定義できますか？

私はかなりわくわくして続きに期待したが、結局、その講義では明確な答えは示されなかった。生命が持ついくつかの特徴——たとえば、細胞からなる、DNAを持つ、呼吸によってエネルギーを作る——、などを列挙するうちに夏休みが来て日程は終わってしまったのである。

なにかを定義するとき、属性を挙げて対象を記述することは比較的たやすい。しかし、対象の本質を明示的に記述することはまったくたやすいことではない。大学に入ってまず私が気づかされたのはそういうことだった。思えば、それ以来、生命とは何かという問題を考えながら、結局、明示的な、つまりストンと心に落ちるような答えをつかまえられないまま今日に至ってしまった気がする。それでも今の私は、二十数年来の問いを次のようにあとづけることはできるだろう。

生命とは何か？　それは自己複製を行うシステムである。二十世紀の生命科学が到達したひとつの答えがこれだった。一九五三年、科学専門誌『ネイチャー』にわずか千語（一ページあまり）の論文が掲載された。そこには、DNAが、互いに逆方向に結びついた二本のリボンからなっているとのモデルが提出されていた。生命の神秘は二重ラセンをとっている。多くの人々が、この天啓を目の当たりにしたと同時にその正当性を信じた理由は、構造のゆるぎない美しさにあった。しかしさらに重要なことは、構造がその機能をも明示していたことだった。論文の若き共同執筆者ジェームズ・ワトソンとフランシス・クリックは最後にさりげなく述べていた。この対構造が直ちに自己複製機構を示唆することに私たちは気がついていないわけではない、と。

DNAの二重ラセンは、互いに他を写した対構造をしている。そして二重ラセンが解けるとちょうどポジとネガの関係となる。ポジを元に新しいネガが作られ、元のネガから新しいポジが作られると、そこには二組の新しいDNA二重ラセンが誕生する。ポジあるいはネガとしてラセン状のフィルムに書き込まれている暗号、これがとりもなおさず遺伝子情報である。これが生命の〝自己複製〟システムであり、新たな生命が誕生するとき、あるいは細胞が分裂するとき、情報が伝達される仕組みの根幹をなしている。

DNA構造の解明は、分子生物学時代の幕を切って落とした。DNA上の暗号が、細胞内のミクロな部品の規格情報であること、それがどのように読み出されるのかが次々と解明されていった。一九八〇年代に入ると、DNA自体をいわば極小の外科手術によって切り貼りして情報を書き換える方法、つまり遺伝子操作技術が誕生し分子生物学の黄金期が到来した。もともとは野原に昆虫を追い、水辺に魚を捕らえることに夢中で、ファーブルや今西錦司のようなナチュラリストを夢見ていた私も、時代の熱に逆らうことはできなかった。いやおうなく、いや、むしろ進んでミクロな分子の世界に突き進んでいった。そこにこそ生命の鍵があると。

分子生物学的な生命観に立つと、生命体とはミクロなパーツからなる精巧なプラモデル、すなわち分子機械に過ぎないといえる。デカルトが考えた機械的生命観の究極的な姿である。生命体が分子機械であるならば、それを巧みに操作することによって生命体を作り変え、〝改良〟することも可能だろう。たとえすぐにそこまでの応用に到達できなくとも、たとえば分子機械の部品をひとつだけ働かないようにして、そのとき生命体にどのような異常が起きるかを観察すれば、部品の役割をいい当てることができるだろう。つまり生命の仕組みを分子のレベルで解析することができるはずである。このような考え方に立って、遺伝子改変動物が作成されることになった。〝ノックアウト〟マウスである。

私は膵臓（すいぞう）のある部品に興味を持っていた。膵臓は消化酵素を作ったり、インシュリンを分泌して血糖値をコントロールしたりする重要な臓器である。この部品はおそらくその存在場所や存在量から考えて、重要な細胞プロセスに関わっているに違いない。そこで、私は遺伝子操作技術を駆使して、この部品の情報だけをDNAから切り取って、この部品が欠損したマウスを作った。ひとつの部品情報が叩き壊され（ノックアウト）ているマウスである。このマウスを育ててどのような変化が起こっているのかを調べれば、部品の役割が判明する。マウスは消化酵素がうまく作れなくなって、栄養失調になるかもしれない。あるいはインシュリン分泌に異常が起こって糖尿病を発症するかもしれない。

長い時間とたくさんの研究資金を投入して、私たちはこのようなマウスの受精卵を作り出した。それを仮母の子宮に入れて子供が誕生するのを待った。母マウスは無事に出産した。赤ちゃんマウスはこのあと一体どのような変化を来たすであろうか、私たちは固唾（かたず）を呑んで観察を続けた。子マウスはすくすくと成長した。そしておとなのマウスになった。

なにごとも起こらなかった。栄養失調にも糖尿病にもなっていない。血液が調べられ、顕微鏡写真がとられ、ありとあらゆる精密検査が行われた。どこにもとりたてて異常も変化もない。私たちは困惑した。一体これはどういうことなのか。

実は、私たちと同じような期待をこめて全世界で、さまざまな部品のノックアウトマウス作成が試みられ、そして私たちと同じような困惑あるいは落胆に見舞われるケースは少なくない。予測と違って特別な異常が起きなければ研究発表もできないし、論文も書けないので正確な研究実例は顕在化しにくい。が、その数はかなり多いのではないだろうか。

私も最初は落胆した。もちろん今でも半ば落胆している。しかしもう半分の気持ちでは、実は、ここに生命の本質があるのではないか、そのようにも考えてみられるようになってきたのである。

遺伝子ノックアウト技術によって、パーツを一種類、ピースをひとつ、完全に取り除いても、何らかの方法でその欠落が埋められ、バックアップが働き、全体が組みあがってみると何ら機能不全がない。生命というあり方には、パーツが張り合わされて作られるプラモデルのようなアナロジーでは説明不可能な重要な特性が存在している。ここには何か別のダイナミズムが存在している。私たちがこの世界を見て、そこに生物と無生物とを識別できるのは、そのダイナミズムを感得しているからではないだろうか。では、その〝動的なもの〟とは一体なんだろうか。

私は一人のユダヤ人科学者を思い出す。彼は、DNA構造の発見を知ることなく、自ら命を絶ってこの世を去った。その名をルドルフ・シェーンハイマーという。彼は、生命が「動的な平衡状態」にあることを最初に示した科学者だった。私たちが食べた分子は、瞬く間に全身に散らばり、一時、緩くそこにとどまり、次の瞬間には身体から抜け出て行くことを証明した。つまり私たち生命体の身体はプラモデルのような静的なパーツから成り立っている分子機械ではなく、パーツ自体のダイナミックな流れの中に成り立っている。

私は先ごろ、シェーンハイマーの発見を手がかりに、私たちが食べ続けることの意味と生命のあり方を、狂牛病禍が問いかけた問題と対置しながら論考してみた（『もう牛を食べても安心か』文春新書、二〇〇四）。この「動的平衡」論をもとに、生物を無生物から区別するものは何かを、私たちの生命観の変遷とともに考察したのが本書である。私の内部では、これが大学初年度に問われた問い、すなわち生命とは何か、への接近でもある。

目次

第1章　ヨークアベニュー、66丁目、ニューヨーク

マンハッタンの片隅で

摩天楼が林立するマンハッタンは、ニューヨーク市のひとつの区（ボロー）であり、それ自体ひとつの島でもある。西をハドソンリバーが、東をイーストリバーが流れる。観光船サークルラインは、マンハッタンが、縦に細長い、しかし極度に稠密（ちゅうみつ）な島であることを実感できる格好の乗り物だ。船は、ハドソンリバー岸を出発点とし南下、自由の女神像を眺望しつつ、かつて世界貿易センタービルが聳（そび）え立っていたマンハッタン南端を回って、イーストリバーに入りこれを北に遡行する。

ウォール街のビル群、ニューヨークマラソンが通るブルックリンブリッジ、やがて現れ

るスタイリッシュな国連本部ビル。アールデコのクライスラービル。白い羊羹を削ぎ切りにしたようなシティコープビル。ひときわ高いエンパイアステートビル。次々と見せ場がやってくる。砂利やゴミの運搬船がすれ違う。

天を突くスカイスクレイパー群の屹立ぶりがややおさまり、川沿いにはとりたてて特徴のないアパートが並ぶようになる。観光客がすこし飽きてきた頃、船は雑然としたマンハッタン島北部にさしかかる。工場、排水ダクト、引き込み線路、落書き。このあたりはハーレムの裏手に当たる地域だ。

イーストリバーはハドソンリバーの放水路であり、マンハッタン島北端で二つの河川は交わる。ここで船はイーストリバーからハドソンリバーへと戻る。河口近いハドソンリバーはまさに海のように広大だ。視界が急に開ける。一気に風が大河の川面を吹きあがってくる。軽快に流れに乗った船はまもなく出発点に戻る。

ニューヨークを訪れる観光客に人気のサークルラインだが、ほとんどの客が気づかずに通り過ぎてしまう場所からこの話は始まる。今しばし、映像を逆回しにして、ちょうど砂利を運搬してきた平たい船とすれ違ったあたりに戻っていただきたい。そう、摩天楼見物にちょっと疲れてきた頃に見えた、巨大なつり橋をくぐりぬけた地点である。この橋はクイーンズボローブリッジ。マンハッタン区を、イーストリバーを挟んで東隣のクイーンズ区と結ぶ大橋だ。人を中洲に運ぶロープウエイまで併設している。南から北へ数字が増えていくマンハッタンの街路でいえば59丁目に架かっているこの橋は、サイモンとガーファンクルの曲にも歌われている。

クイーンズボローブリッジを通り過ぎた直後、川沿いに目をやるとそこには赤いレンガ外壁の古びた低層建造物の一群がある。サークルライン船の乗客のほとんどは注意を払うこともない。もちろん、それがどのような施設なのかを示す手がかりは何も建物に掲げられてはいない。

しかし、この建物の廊下を、かつてヒデヨ・ノグチは慌しく駆けていただろうし、オズワルド・エイブリーは影のように音を消して歩いていた。ルドルフ・シェーンハイマーもしばしばここを訪れていたはずだ。そして、そのような偉人たちとは較べるべくもないが、私もまたある一時期、この場所に属していたのである。

ロックフェラー大学図書館の胸像

ニューヨークにあるロックフェラー大学を知る人は少ない。マンハッタンの中心にあって冬には巨大なクリスマスツリーが点灯し、スケートリンクまで登場する有名なロックフェラー・センターのことではない。

ロックフェラー大学は、クイーンズボローブリッジを越えたイーストリバー沿いにこぢんまりとたたずんでいる。陸地側の地番でいえば、ヨークアベニュー、66丁目。ヨークアベニューはマンハッタンを縦方向に走る主要ストリートのうち一番東側の通りだ。ふつう観光客はこんな場所まで来ないし、地元ニューヨーカーですら、樹木に囲まれたこの場所のことを公園か何かだと思って通り過ぎていることだろう。ヨークアベニューと66丁目ストリートの交差点にある小さな門に近づいて、控えめな(ロー・キー)プレートを読んで初めてここが大学であることが知れる。

Rockefeller University　—pro bono humani generis—
(ロックフェラー大学)　(人類の向上のために)

この大学は二十世紀の初め、アメリカの医学研究振興のためにロックフェラー財団が設立したもので、当初はロックフェラー医学研究所と呼ばれていた。今でも中央ホールやいくつかの研究棟は設立当時の重厚な建物のままで、縦型のらせん状階段や天井の意匠には凝ったデザインが残されている。世界各地から人材を集め、基礎医学と生物学に特化して次々と新発見を打ち出し、ヨーロッパ中心だったこの分野をアメリカに引き寄せるのに大きな力を発揮した。これまでに数多くのノーベル賞受賞者を輩出している。しかし私が語りたいのは、輝かしい稜線をつなぐことではない。今では暗く広い夕闇の中に沈んでしまった山麓のかそけき樹木のざわめきについてである。

私が初めてこの場所に来たのは八〇年代も終わろうとする頃だった。マンハッタンのビルの谷間にはさわやかな初夏の風が吹き抜けて街路樹を揺らしていた。私が勤務したのは、ホスピタル棟と呼ばれる最も古い建物の五階にあった分子細胞生物学研究室というところだった。建物の小さな窓からはイーストリバーが見渡せた。そこには観光客を満載したサークルラインの遊覧船が日がな一日、何便も通過していった。自分は今、川から街を見ているのではなく、こちらから彼らを眺めているのだ。そんな単純なことだけで、自分がまぎれもなくこの街に属していると感じられ、ひそかに胸が高鳴った。

厳しいニューヨークの冬に備えて、ロックフェラー大学構内に散在する建物は互いに複雑な地下通路によって結ばれている。実験の合間に、私はしばしばその地下道を抜けて二十四時間開いている図書館に行った。そしてよく手入れの行き届いた気持ちのいい苔(こけ)色の椅子に深く腰をかけてそっと深呼吸をした。静謐(せいひつ)な図書館はふだんあまり人気(ひとけ)もなく、ひとり日本を飛び出してこの地にやってきた私にとって心安らぐ場所であり、人知れず感傷にひたれる場所でもあった。

図書館の二階の一隅には黒ずんだブロンズの胸像がおかれていた。私はしばらくの間、その存在も、そしてそれが誰なのかも気づかずにいた。ある日、いつものように図書館へ行き、パラパラと新着雑誌を眺めたりしながら、ふと胸像のプレートに目を留めた。そこには、Hideyo Noguchi と銘が入っていた。そうなのだ。野口英世もかつてここにいたことがあったのだ。貧困と、幼い頃の怪我という二重の試練を克服し、単身アメリカに渡り世界的な医学者となって功成り名を遂げた人物。そして最期はアフリカで研究半ばに非業の死に斃（たお）れた人物。日本人なら誰でも知っている偉人伝ストーリー。

ところが、ロックフェラー大学における野口英世の評価は、日本のそれとはかなり異なったものとなっている。私は、ロックフェラー大学の何人かの同僚に聞いてみたが、誰も図書館の胸像がどんな人物なのかを知ってはいなかった。

相反する野口英世像

今、私の手元には、二〇〇四年六月発行のロックフェラー大学定期刊行広報誌がある。ここには、野口英世をめぐる奇妙なトーンの記事が掲載されている。

記事はいささか揶揄（やゆ）的な書きっぷりで、66丁目に面したロックフェラー大学門衛所に、おずおずと頼みごとをする日本人観光客がこのところ急増してきたことを伝える。図書館の二階にあるブロンズ像を見せてほしいというのだ。また別の日には、旅行会社が企画したツアーが大型バス三台を連ねてやってきた。カメラをぶら下げた日本人の大群が順に胸像の前で写真を撮る。図書館司書はそれが終わるのを辛抱強く見守っていた。

ここで記事は種明かしをする。この不可思議な現象の背景――この年の秋、日本のお札のデザインが一新され、新千円札の肖像画に国民的ヒーローとして野口が登場するということを。日本人にとっての野口英世像がいかに立志伝中の人物であるかを紹介した後、記事は辛辣（しんらつ）な一撃を加える。

ここ米国での彼の評価はまったく異なる、と。

ロックフェラーの創成期である二十世紀初頭の二十三年間を過ごした野口英世は、今日、キャンパスではほとんどその名を記憶するものはない。彼の業績、すなわち梅毒、ポリオ、狂犬病、あるいは黄熱病の研究成果は当時こそ賞賛を受けたが、多くの結果は矛盾と混乱に満ちたものだった。その後、間違いだったことが判明したものもある。彼はむしろヘビイ・ドリンカーおよびプレイボーイとして評判だった。結局、野口の名は、ロックフェラーの歴史においてはメインチャプターというよりは脚注に相当するものでしかない。

私はまず、かつて私の静かな聖域だったあの図書館が、今や日本人観光客の喧騒によって損なわれてしまっていることを悲しんだ。ついで私は野口が見ようとしてついに見ることのできなかったものについて思いを馳せた。

ロックフェラー医学研究所の創設に貢献した著名な医学研究者にサイモン・フレクスナーがいた。フレクスナーは赤痢菌の単離に成功し、米国における近代基礎医学の父とされた人物である。彼は一八九九年、日本を訪れ、燃えるような野心を抱くこの若い日本人に会った。フレクスナーは一種の社交辞令として、野口を大いに励まし支援を惜しまない旨を伝えた。

帰国してしばらくすると野口が突然、押しかけるようにしてやってきた。フレクスナーは驚いたが、帰る場所もあてもない野口に実験助手の仕事を与えた。まもなく、野口はフレクスナーの庇護の下、次々と輝かしい発見を立て続けに生み出し始めることになる。梅毒、ポリオ、狂犬病、トラコーマ、そして黄熱病の病原体を培養したと発表し、二百編という当時としては驚くべき数の論文をものした。一時はノーベル賞のうわさにものぼり、パスツールやコッホ以来のスーパースターとして、病原体ハンターの名をほしいままにした。それは同時にロックフェラー医学研究所の名を高めることにもつながったのは、まぎれもない事実である。

一九二八年、野口が研究先の西アフリカで実験対象としていた黄熱病にかかって客死すると、ロックフェラーでは研究所をあげて喪に服し、フレクスナーは野口の葬式一切を取り仕切った。彫刻家セルゲイ・ティモフェイビッチ・コネンコフに依頼された彼の胸像が完成し、図書館に飾られた。

パスツールやコッホの業績は時の試練に耐えたが、野口の仕事はそうならなかった。数々の病原体の正体を突き止めたという野口の主張のほとんどは、今では間違ったものとしてまったく顧みられていない。彼の論文は、暗い図書館の黴臭い書庫のどこか一隅に、歴史の澱と化して沈み、ほこりのかぶる胸像とともに完全に忘れ去られたものとなった。

野口の研究は単なる錯誤だったのか、あるいは故意に研究データを捏造したものなのか、はたまた自己欺瞞によって何が本当なのか見極められなくなった果てのものなのか、それは今となっては確かめるすべがない。けれども彼が、どこの馬の骨とも知れぬ自分を拾ってくれた畏敬すべき師フレクスナーの恩義と期待に対し、過剰に反応するとともに、自分を冷遇した日本のアカデミズムを見返してやりたいという過大な気負いに常にさいなまれていたことだけは間違いないはずだ。その意味で彼は典型的な日本人であり続けたといえるのである。

野口の研究業績の包括的な再評価は彼の死後五十年を経て、ようやく行われることになった。それもアメリカ人研究者の手によって。イザベル・R・プレセットによる"Noguchi and His Patrons"(Fairleigh Dickinson University Press, 1980)がそれだ。本書によれば、彼の業績で今日意味のあるものはほとんどない。当時、そのことが誰にも気づかれなかったのはひとえにサイモン・フレクスナーという大御所の存在による。彼が権威あるパトロンとして野口の背後に存在したことが、追試や批判を封じていたのだと結論している(邦訳『野口英世』〈中井久夫・枡矢好弘訳〉星和書店、一九八七)。

野口像を破天荒な生身の姿として描きなおした評伝に『遠き落日』(渡辺淳一、角川書店、一九七九)がある。ここで野口は、結婚詐欺まがいの行為を繰り返し、許婚(いいなずけ)や彼の支援者を裏切り続けた、ある意味で生活破綻者としてそのダイナミズムが活写されている。ところが、このような再評価は日本では勢いを持つことなく、いまだにステレオタイプな偉人伝像が半ば神話化されている。これがとうとう大手を振って、お札の肖像画にまで祭り上げられるというのは考えてみればとても奇妙なことである。ロックフェラー大学広報誌が皮肉のひとつもいいたくなるのは当然である(ちなみに、肖像画のことをいうのであれば、樋口一葉も最もお札から遠く離れた人物であるといえる)。

見ようとして見えなかったもの

さて、ただひとつ、もし公平のためにいうことがあるとすれば、それは当時、野口は見えようのないものを見ていたのだ、ということがある。狂犬病や黄熱病の病原体は当時まだその存在が知られていなかったウイルスによるものだったのだ。自分を受け入れなかった日本への憎悪と、逃避先米国での野心の熱が、野口の内部で建設的な焦点を結ぶことがついになかったように、ウイルスはあまりにも微小すぎて、彼の使っていた顕微鏡の視野の中に実像を結ぶことはなかったのである。

うつる病気、すなわち感染症には必ずその原因となる病原体が存在している。それがヒトからヒトへ、場合によっては動物からヒトへ、乗り移ってくることによって病気が媒介される。このような病原体の存在をいかにして私たち人類は認識することができるようになったのだろうか。

あなたが研究者だったとしよう。この厳封された試験管の中に、ある病気にかかった患者から採取された体液がある。この中に病原体が潜んでいる可能性がある。あなたはまず、万一、自分自身が感染することのないよう十分な防護措置をとらねばならない。サンプルに直接触れないよう薄いゴム手袋を両手にはめる。飛沫（しぶき）が飛び散ったときに備えてマスクを着用し、防御ゴーグルをする。白衣を着用する。器具はすべてディスポーザブル

（使い捨て）で、廃棄する前にまとめて120℃、一時間の殺菌処理を行わねばならない。そのために厚手プラスチック繊維の廃棄バッグを傍らに用意しておく。

病原体は非常に小さい。もちろん肉眼では見えない。人間が肉眼で捉えることのできる最小粒子の大きさはおよそ直径〇・二ミリメートル（=二〇〇マイクロメートル）である。もちろんこれは目が非常によい人の場合である。たいていの人は一ミリメートルより小さいものを明確には識別できない。これはヒトの目の解像力の問題で、いかんともしがたい。病気を引き起こす病原微生物、いわゆる黴菌（ばいきん）は、普通、球状をしていてその直径は一マイクロメートル程度である。ヒトがなんとか識別できる芥子（けし）粒をラグビーボールとすれば、黴菌は仁丹ほどでしかない。これを〝見る〟ためには、顕微鏡を使う以外に方法はない。光学顕微鏡の原型は早くも一八〇〇年代に開発され、一九〇〇年代初頭、野口の時代にはもちろんかなり高性能のものが存在していた。

落下や漏出にそなえて、パレットの上で注意深く試験管を開封する。ピペットを使って体液をスライドグラスの上に、ごく少量、慎重に移す。試験管は再びキャップを閉じる。スライドグラスの上に小さなカバーガラスをかぶせてサンプルを薄く広げる。これをそっと顕微鏡の観察台の上に置く。あなたは息を潜めて接眼レンズを覗く。ゆっくりとダイアルを回して焦点をあわせる。すると最初ぼんやりとしていた視野が徐々に像を結びだす。

なんだ、これは！　背筋に悪寒が駆け上がる。顕微鏡の視野全体に微細な米粒のようなものが細かく律動しながら一斉にうごめいているではないか。こいつだ。こいつこそ、この奇病の病原体に違いない！　とうとう私は病原体を発見した。すぐに発表の準備をしなくてはならない……。

病原体特定のステップ

あなたの偉大なる発見が、科学史のあだ花あるいは歴史の澱とならないためには、どのようなロジックの慎重さが必要だろうか。それは感染を防ぐための措置に勝るとも劣らない慎重さが要求されるプロセスでもある。

あなたは、ここでもう一つの試験管を手に取る。これは健康な人から採取された体液である。患者と同じ性別、同程度の年齢、その他の諸条件もできるだけそろえてあり、体液の採取方法や採取時期も同じにしてある。これを顕微鏡で確認する。ピペットやスライドグラスなど実験器具はすべて新しいものを用意する。念のため、手袋、マスク、ゴーグル、白衣なども取り替える。〝交差汚染〟の防止、つまり知らず知らずのうちに微量の別サンプルが混入し、本来、ないところに何者かがあることを防ぐ措置である。このような注意を払って、健康体由来の体液、つまり対照サンプルを検査する。

もし、ここでも、微細な米粒のようなものが細かく律動しながら一斉にうごめいているとしたら、ゲーム・オーバー。あなたの見ていた米粒のような微生物は、病気の人にも健康な人にもあまねく存在する〝常在的〟な何者かであり、病気の発症には何ら関係のないものであることになる。常在的なものはいくらでも存在する。この時点で、あなたは正気にもどり、そして研究もふりだしにもどる。

では仮に、健康体由来の対照サンプルはどれだけ調べても非常にクリーンで、顕微鏡の視界に、細かく律動しながら一斉にうごめいている米粒のようなものがまったく認められないとしたら？　第一のステップはクリアである。ここで初めて、病態と健康との間に「差異」が認められることになる。結局、私たちが自然に対して何かを記述できるとすれば、それはある状態と別の状態との間に違いがある、ということでしかない。

ただし、むろん喜ぶのは早すぎる。ものごとには、〝もっと〟例数が必要なのだ。あなたは四方八方に手を尽くして、できるだけ多くの、この病気にかかった患者から体液を集めてくる必要がある。それと同時に、患者と対になるような健康な人から対照サンプルを集めなくてはならない。そのうえで、細かく律動しながら一斉にうごめく米粒のような微生物が、病人の体液には〝必ず〟存在しているが、健康な人の体液には存在しないことを示す必要がある。

では、一体、どの程度の例数があればいいだろうか。もしこの病気が非常にめずらしいものであれば、例数は十例もあれば最初の報告としては認められるだろう。患者が爆発的に広がっているようなパンデミック（流行）ならばもっと症例がいる。

では、先に〝必ず〟存在が証明されるべき、と書いたが、患者の中に、病気の特徴的な症状を示しているにもかかわらず、体液サンプル中にどうしても当該の微生物を見出せないケースがあったとしたら。あなたはひそかにこのデータを〝なかったこと〟にする誘惑に駆られてしまうかもしれない。そうすればあなたの説はより説得力を増す。

しかし、これは端的にいって虚偽である。もしあなたがまっとうな研究者であろうとする自己規範を持つならば、このケースを除外してはならない。研究データには必ず例外や偏差が含まれる。それは単なるミスや錯誤（このケースでは、体液の採取ミスや保存条件の不備、サンプル調製時の誤りや顕微鏡観察の不手際など）であることも多いが、本来、もっと別の生物学的意味を持つ現象かもしれないからである。

それは後になってそうわかることもある。たとえば、病原体は患者の体液から一瞬、姿を消して特別な部位に潜む時期があることが判明するとか、非常に類似の症状を示す別の病気の存在が見つかるなどである。この逆のケースもありうる。健康な人でも、その体液中にこの微生物の存在が確認されるケースだ。これはいささか解釈が厄介だが、観察事実は観察事実として受け止めねばならない。微生物が存在していても発症が防がれる状況があるのかもしれないからである。

このような手続きを踏まえたうえで、おおよそ十中八九、患者の体液からこの微生物の存在が確認できれば、多くの研究者は病原体特定への第二ステップをクリアしたことを認めるだろう。場合によっては、もっと低い頻度、たとえば調べた患者のうち半数にその微生物の検出があれば関連を認めてよいと考える場合もある。病原微生物の動静はダイナミックであり、体液中に検出にたる一定量以上の存在が常にあるとは限らないからだ。

しかし、実は、もっと大きな陥穽（かんせい）がぽっかりと口をあけてあなたを待ち受けているのである。

第2章　アンサング・ヒーロー

容疑者 x が真犯人であるためには?

ある病原体がその病気の原因であることを立証するためにはどのような条件がそろえばよいのだろうか。まず第一にそれが必ず、患者の病巣あるいは体液などに検出されるということである。

では、患者のサンプルを顕微鏡で調べるとほとんどの検体からも、細かく律動しながら一斉にうごめく米粒のような微生物が発見され、一方で、健康な人からはそれが見つからないという厳然たる事実があれば、この時点でこの微生物が病気をもたらす原因菌であるといえるだろうか。否である。

容疑者xは確かにどの犯行現場でもその姿を目撃されている。しかし、xが直接、手を下した証拠はどこにもない。つまり、ある微生物が必ず病巣から検出されたとしても、この時点ではまだ嫌疑不十分なのだ。二つの事象、つまり微生物の存在と病気の発症とはあくまで相関関係にあるにすぎない。相関関係が原因と結果の関係、すなわち因果関係に転じるためには、もうひとつ次へのステップフォーワードが必要なのである。野口英世がはまり込んだ陥穽も実はここにあったのだ。

ある微生物が「原因」となって特定の病気が発症するという「結果」をもたらす。では、この連関を証明するために次にどのような要件が必要だろうか。観察は自然科学の最も重要な手段だが、いくら患者を観察していても前には進めないことがある。観察によって相関関係を見つけることはできても、そこに因果関係を立証することはできない。

因果関係は、「介入」実験を行ったとき初めて立ち現れる。介入実験とは文字通り、原因と思われる状況を人為的に作り出し、予想される結果が起こるかどうかを試すということだ。顕微鏡下にうごめいていた微生物を細いピペットで吸い取り、それを健康な実験動物に接種し、病気が発生するかどうかを確かめればよいのである。

野口英世もおそらくこのような介入実験を繰り返したに違いない。そしてあるケースでは、病巣から取り出したサンプルを顕微鏡で調べると、そこに特殊な微生物の存在を認め、その微生物を健康な動物に接種すると人為的に病気を起こすことに成功した。これは立派な病原体の証明ではなかったのか。残念ながらまたしても否である。彼は見えないものを見ようとし、捉えられないものを捉えようとしたのである。

先に、介入実験の方法として、「顕微鏡下にうごめいていた微生物を細いピペットで吸い取り」と書いた。ここにポイントがある。細いピペットで吸い取った液体の中には確かに微生物が存在する。その液を他の動物に注射すると同じ病気を発症する。顕微鏡で見ると明るく透明な液体の中に細かく律動する微生物が見える。他には何も見えない。しかし、見えないからといって、病巣から取り出した液体の中に、その微生物以外に何者もいないかどうかはわからない。

だが、人間の眼は見えるものにとらわれてしまい、その明るく透明な背景に想像力が届くことはない。たとえ、今、視野に見えている微生物が、病気を引き起こす真犯人ではなく、病気になって弱った身体にたまたま取りつくような〝日和見(ひよりみ)感染体〟だとしても。そして、たとえ、今、何も存在しないように見えている明るく透明な背景に、焦点を結ぶことのないきわめて微細な何者かが潜んでいるとしても。

ウイルスの発見

タバコモザイク病という不思議な病気がある。タバコの葉に黒色のモザイク状斑点を作り、商品作物としてのタバコを損なってしまう病気である。

モザイク状に侵された病気の葉をすりつぶして、これを健康な葉に塗りつけると、やがてその葉にもモザイク病が発生する。つまり病気を伝達することができるのである。病気をうつせる以上、そこには何らかの病原体が存在してしかるべきだ。しかし、病気になった葉や、その葉をすりつぶした抽出液を顕微鏡で調べても、そこに特別な微生物を認めることはできなかった。

一八九〇年代のあるとき、ロシアの研究者ディミトリ・イワノフスキーは病原体の大きさを調べてみようと思い立った。彼が使ったのは素焼きの陶板だった。植木鉢のかけらのようなものだと思っていただければよい。陶板には網目状に微小な穴が入り組んだ形で無数にあいている。陶板の上から水をたらすと、水はこの穴を浸潤し、やがて反対側から滲み出してくる。もし、水の中に微生物が存在するとしよう。大腸菌や赤痢菌のような単細胞微生物は、どんなに小さくてもそのサイズは直径一〜数マイクロメートルである。素焼きの陶板にあいている穴はこの五分の一から十分の一以下、ずっと小さい。しかも穴は陶板の内部を入り組んで走行している。単細胞生物がそこを通過することは不可能である。

したがって、素焼きの陶板で微生物を含む水を〝濾過〟することができる。たとえ衛生状態が悪く、病原体をたくさん含むような、つまり、そのまま飲めばたちまちお腹をこわしてしまうような水であっても、陶板を通せば、それを浄化することができる。このことは経験的に知られていた事実である。ちなみに現在、発展途上国の衛生向上のために配布されている濾過ボトルもこれと同じ原理が使われている。さすがに陶板ではなく、その代わりに高分子を網目状に成型した薄いフィルターが装着されている。フィルターの網目の大きさは——これをポアサイズと呼ぶが——、〇・二マイクロメートル程度である。

イワノフスキーは陶板を使って、タバコモザイク病にかかった病葉（わくらば）の抽出液を濾過してみた。陶板の反対側から染み出てきた液には、普通、病原体は存在しえないはずである。だからその液を健康なタバコの葉に塗っても、そこに病気が発生することはない。しかし実験結果はイワノフスキーの予想を裏切っていた。陶板の濾過液にもタバコモザイク病を引き起こす力が十分に残っていた。陶板を通り抜けることができる微生物！　サイズにすれば単細胞生物の十分の一以下。当然、光学顕微鏡の解像度では到底、追いつかない小ささである。もちろんそのような極小の病原体が存在しているなどとは当時、誰も考えてもみなかった。イワノフスキーもすぐには実験結果を信じることができなかった。

このような場合、つまり自分の予想とは異なった実験結果を得た場合、科学者は普通、こう考える。実験の手続きになにか問題があったゆえに、結果がうまく得られないのだ、と。当然、イワノフスキーも最初はそう考えた。使用した陶板が不良品だったのかもしれない。割れ目（クラック）や大きな穴があいていて、病原体はそこを通り抜けて反対側に達したのかもしれない。

もしそのような〝合理的な疑い〟があるのなら、科学者は対照実験というものを行うべきである。この場合の対照実験は、同じ陶板を使って、あらかじめサイズの判明している微生物、たとえば直径一マイクロメートルの大腸菌を濾過してみて、これが陶板を通過しえないかどうかを調べる。もしわずかでも大腸菌が通過するのであれば、陶板のどこかにクラックがあることになる。もしまったく大腸菌を通過させないのなら、タバコモザイク病を引き起こす病原体は、大腸菌よりもずっと小さい何者かである。イワノフスキーはそれがまったく新しい病原体であるとは考えず、小さな細菌の存在を想定した。

しかし、それからしばらくして、オランダのマルティヌス・ベイエリンクはタバコモザイク病の研究を詳細に再検討して、濾過性の病原体としての〝生気をもった感染性の液体〟が存在すると主張した。これが細菌とは異なる微小な感染粒子の存在を初めて提言したもの、つまりウイルスの発見だった。こうなると最初の「発見者」、イワノフスキーも黙ってはいない。猛然とプライオリティを主張し、今日では、タバコモザイクウイルスの最初の発見者はイワノフスキーということになっている。

ウイルスは生物か？

ウイルスは、単細胞生物よりもずっと小さい。大腸菌をラグビーボールとすれば、ウイルスは（種類によって異なるが）ピンポン玉かパチンコ玉程度のサイズとなる。光学顕微鏡では解像度の限界以下で像として見ることはできない。ウイルスを「見る」ことができるようになったのは、光学顕微鏡よりも十倍から百倍もの倍率を実現する電子顕微鏡が開発された一九三〇年代以降のことである。

野口英世が黄熱病に斃れたのは一九二八年である。まだ世界はウイルスの存在を知らなかった。そして、彼が生涯をかけて追った黄熱病も、狂犬病も、その病原体はウイルスによるものだった。彼が、繰り返し繰り返し顕微鏡で観察したその視野の背景は、彼の性急さを一瞬でも押しとどめ未知の可能性を喚起するには、あまりにも明るく透明すぎたのだった。

ウイルスを初めて電子顕微鏡下で捉えた科学者たちは不思議な感慨に包まれたに違いない。ウイルスはこれまで彼らが知っていたどのような病原体とも異なって、非常に整った風貌をしていたからである。斉一的すぎるとさえいってもよかった。

科学者は病原体に限らず、細胞一般をウエットで柔らかな、大まかな形はあれど、それぞれが微妙に異なる、脆弱な球体と捉えている。ところがウイルスは違っていた。それはちょうどエッシャーの描く造形のように、優れて幾何学的な美しさをもっていた。あるものは正二十面体の如き多角立方体、あるものは繭(まゆ)状のユニットがらせん状に積み重なった構造体、またあるものは無人火星探査機のようなメカニカルな構成。そして同じ種類のウイルスはまったく同じ形をしていた。そこには大小や個性といった偏差がないのである。なぜか。それはウイルスが、生物ではなく限りなく物質に近い存在だったからである。

ウイルスは、栄養を摂取することがない。呼吸もしない。もちろん二酸化炭素を出すことも老廃物を排泄することもない。つまり一切の代謝を行っていない。ウイルスを、混じり物がない純粋な状態にまで精製し、特殊な条件で濃縮すると、「結晶化」することができる。これはウエットで不定形の細胞ではまったく考えられないことである。結晶は同じ構造を持つ単位が規則正しく充塡(じゅうてん)されて初めて生成する。つまり、この点でもウイルスは、鉱物に似たまぎれもない物質なのである。ウイルスの幾何学性は、タンパク質が規則正しく配置された甲殻に由来している。ウイルスは機械世界からやってきたミクロなプラモデルのようだ。

しかし、ウイルスをして単なる物質から一線を画している唯一の、そして最大の特性がある。それはウイルスが自らを増やせるということだ。ウイルスは自己複製能力を持つ。ウイルスのこの能力は、タンパク質の甲殻の内部に鎮座する単一の分子に担保されている。核酸＝DNAもしくはRNAである。

ウイルスが自己を複製する様相はまさしくエイリアンさながらである。ウイルスは単独では何もできない。ウイルスは細胞に寄生することによってのみ複製する。ウイルスはまず、惑星に不時着するように、そのメカニカルな粒子を宿主となる細胞の表面に付着させる。その接着点から細胞の内部に向かって自身のDNAを注入する。そのDNAには、ウイルスを構築するのに必要な情報が書き込まれている。宿主細胞は何も知らず、その外来DNAを自分の一部だと勘違いして複製を行う一方、DNA情報をもとにせっせとウイルスの部材を作り出す。細胞内でそれらが再構成されて次々とウイルスが生産される。それら新たに作り出されたウイルスはまもなく細胞膜を破壊して一斉に外へ飛び出す。

ウイルスは生物と無生物のあいだをたゆたう何者かである。もし生命を「自己複製するもの」と定義するなら、ウイルスはまぎれもなく生命体である。ウイルスが細胞に取りついてそのシステムを乗っ取り、自らを増やす様相は、さながら寄生虫とまったくかわるところがない。しかしウイルス粒子単体を眺めれば、それは無機的で、硬質の機械的オブジエにすぎず、そこには生命の律動はない。

ウイルスを生物とするか無生物とするかは長らく論争の的であった。いまだに決着していないといってもよい。それはとりもなおさず生命とは何かを定義する論争でもあるからだ。本稿の目的もまたそこにある。生物と無生物のあいだには一体どのような界面があるのだろうか。私はそれを今一度、定義しなおしてみたい。

結論を端的にいえば、私は、ウイルスを生物であるとは定義しない。つまり、生命とは自己複製するシステムである、との定義は不十分だと考えるのである。では、生命の特徴を捉えるには他にいかなる条件設定がありえるのか。生命の律動？　そう私は先に書いた。このような言葉が喚起するイメージを、ミクロな解像力を保ったままできるだけ正確に定義づける方法はありえるのか。それを私は探ってみたいのである。

このことの前提として、私たちは今一度、自己複製という概念の成り立ちの周辺をあとづけてみる必要があると思う。そのために、舞台は再び、ニューヨークはヨークアベニュー、66丁目に戻る。

アンサング・ヒーロー

「縁の下の力持ち」を英語ではなんといえばよいだろうか。私が愛用している『日米口語辞典』（朝日出版社、一九七七）によれば、“an unsung hero”とある。歌われることなきヒーロー。サイデンステッカーと松本道弘によって作られたこの画期的な辞書は出版後三十年を経過するけれど今なお読むほどに楽しい。ちなみにこの項には、「He's doing an excellent job though he isn't getting any credit. と説明的に訳したほうが無難かもしれないが、やはり味に欠ける」としたうえでこの味のある訳が掲載されている。

二十世紀は生命科学が幕をあけ、そして華やかに開花した時代だった。では、その幕を最初に開いたのは一体誰だろうか。一九五三年、イギリス・ケンブリッジ大学にいたジェームズ・ワトソンとフランシス・クリックは、DNAが二重ラセン構造をしているというあまりにも美しくかつシンプルな事実を発表し、世界を驚かせた。当時、ワトソンはまだ二十代、クリックも三十代だった。この発見は、それまでまったく無名の若手科学者だった彼らをして、二十世紀の生命科学史上最大のスターに押し上げた。この〝オーバーナイト・サクセス〟は彼らの前に真紅の赤じゅうたんを用意し、それは、後年、ストックホルムでのノーベル賞授賞式にまで一直線に伸びていた。いうまでもなく彼らは賞賛をほしいままにしたサング・ヒーローズ (sung heroes) である。

プロローグでも述べたように、二重ラセンが重大な意味を持っていたのは、その構造が美しいだけでなく、機能をその構造に内包していたからである。ワトソンとクリックは論文の最後にさりげなく述べていた。この対構造が直ちに自己複製機構を示唆することに私たちは気がついていないわけではない、と。

DNAの二重ラセンは、互いに他を写した対構造をしている。そして二重ラセンが解けるとちょうどポジとネガの関係となる。ポジを元に新しいネガが作られ、元のネガから新しいポジが作られると、そこには二組の新しいDNA二重ラセンが誕生する。ポジあるいはネガとしてラセン状のフィルムに書き込まれている暗号、これがとりもなおさず遺伝子情報である。これが生命の〝自己複製〟システムであり、新たな生命が誕生するとき、あるいは細胞が分裂するとき、情報が伝達される仕組みの根幹をなしている。

若きワトソンとクリックが、DNAの構造を解きさえすれば一躍有名になれると思ったのは、DNAこそが遺伝情報を運ぶ最重要情報分子だと、あらかじめ知っていたからである。では、誰が、DNAイコール遺伝子だと世界で最初に気づいたのだろうか？　それは、オズワルド・エイブリーという人物である。

オズワルド・エイブリー

ロックフェラー大学に勤務していた頃、私の研究室は、大学の中でも、二十世紀初頭の創立当時からあった最も古いホスピタル棟と呼ばれる建物にあった。建物の前庭にはきれいに手入れされた花壇があり、長いニューヨークの冬が明けると一斉にチューリップが花開いた。

　建物はシンプルな造りで、どの階も廊下が真ん中に走り、その両側に狭い研究室が雑然と並んでいた。ビルは地下二階と地上十階まであったので、ほとんどの研究所員は建物中央にある古びたエレベーターを利用していた。私の所属していた分子細胞生物学研究室はちょうど中層の五階にあった。廊下の端には控えめな扉があり、そこを抜けると普段誰も使わない階段室に出る。私はその階段が気に入っていた。

　階段は長円形のらせんを描いて下から上へと昇っていた。手すりの造形はおそらく当時の流行だったのだろう、凝った彫刻が施されていて、上層階から階段の内側を見下ろすと細長い輪が規則正しくいくえにも重なって見えた。じっと見つめているとめまいを起こしそうなその幾何学文様は私に、少年時代に見たSFドラマ、タイムトンネルを思い出させた。いや文字通り、その階段はタイムトンネルであったのだ。

　ニューヨークでの研究生活に慣れ始めたある日、研究室のボスが私に教えてくれた。

「シンイチ、この上のフロアーの六階に誰がいたか知っているかい？　エイブリーだよ」。

　実験で遅くなった夜、私はらせん階段を一層上がって六階に出てみた。人気のない廊下は静まり返っていた。リノリウムの床が電灯ににぶく照らされている。実験サンプルを収納した冷凍庫だけが低い音を立てていた。エイブリーがここで過ごした最後の日々から四十年以上。それ以降、おそらく廊下も壁も改装されて当時の面影はあるはずもない。それでも私にはエイブリーの影が見えたような気がした。

それは、エイブリーがまさにこの廊下を行き来していた頃、ロックフェラー研究所と同じくマンハッタンにあったコロンビア大学・生化学研究室にいたDNA研究者、アーウィン・シャルガフが書いた次のような文章が心のどこかに残っていたからである。

私はしばしばロックフェラー医学研究所を訪れた。——私はM・バーグマンの研究室にいったのであるが、——ときどき廊下の壁ぎわを、薄茶色の実験着をきた年老いたネズミのような影がちょろちょろしているのを見かけた。それがエイブリーであった。

（R・J・デュボス『生命科学への道』〔柳沢嘉一郎訳〕岩波現代選書、一九七九。訳者あとがきより）

エイブリーは一八七七年、カナダで牧師の息子として生まれた。十歳のとき、米国ニューヨーク市に移った。コロンビア大学では医学の道に進んだ。エイブリーが科学研究を始めたのは一九一三年、ロックフェラー医学研究所に勤務してからのことだった。このときエイブリーは三十六歳。研究者としてはかなり遅いスタートだった。

彼は研究所から三ブロックほど離れた小さなアパートに住んでいた。朝九時ごろ研究所に出勤し、ホスピタル棟六階の研究室に入り、夜にはまっすぐアパートに戻る規則正しい生活を生涯にわたって維持した。学会出席や講演旅行などはほとんどせず、ニューヨークから外に出ることもなかった。生涯独身を通した。

彼の風貌は一種特異的だった。小柄で華奢な身体に、禿げ上がって鉢の張った大きな頭、それでいて目は大きく飛び出て、あごは細くとがっていた。まるでグリム童話の小人かウエルズのSF小説に出てくる宇宙人のように見えた。

オズワルド・エイブリー

彼のロックフェラー時代は、野口英世がここにいた時期と完全に重なる。おそらく二人は頻繁に会話を交わすことはなかったとしてもお互いを知っていたはずだ。エイブリーの研究が佳境に入ったのは、しかし、野口がこの世を去ってからの一九三〇年代のことだった。おりしもマンハッタンは長い不況時代から脱するために、高層ビルが争うように建設され始めたときである。エイブリーは研究所への行き帰り、遠くのほうで立ち上がるクライスラービルやエンパイアステートビルを眺めたに違いない。

家族もなく、きわめて単調に見える彼の生活は、おそらく彼の内部では決してモノトーンではなかった。天に向かって少しずつ高みを増す摩天楼の建設のように、彼も着実に真実に近づいていた。エイブリーの研究テーマは肺炎双球菌の形質転換というものだった。

遺伝子の本体を求めて

肺炎は今日、抗生物質によって簡単に治療することができるが、エイブリーがロックフェラー研究所に勤務し始めた頃は、この病気にかかって多数の人が死んでいた。治療法もまったくわかっていなかった。医者たちも、患者がなんとか病気に打ち勝って自然に回復するのを祈るしかすべがなかったのである。

肺炎双球菌は肺炎の病原体だった。これは単細胞微生物でありウイルスではない。通常の光学顕微鏡でも観察することができる。この菌にはいくつかのタイプがあった。大別すれば、強い病原性をもつS型と、病原性をもたないR型である。S型からはS型の菌が、R型の菌からはR型の菌が分裂によって増える。つまり菌の性質は遺伝する。

エイブリーの先達としてイギリスの研究者グリフィスがいた。グリフィスは奇妙なことに気がついていた。病原性のあるS型の菌を加熱によって殺す。これを実験動物に注射しても肺炎は起こらない。当然である。また、病原性のないR型の菌をそのまま実験動物に注射しても肺炎は起こらない。これまた当然である。しかし、死んでいるS型菌と生きているR型菌を混ぜて実験動物に注射すると、なんと肺炎が起こり、動物の体内からは、生きているS型菌が発見されたのだ。これは一体どういうことだろうか。S型菌はたとえ死んでいても、何らかの作用をもたらしR型菌をS型菌に変える能力をもつ、ということである。グリフィスは、この作用がどのようなものかを解明することはできなかった。

　エイブリーはこの不思議な現象の原因を突き止めようと考えたのである。S型菌をすりつぶして殺し、菌体内の化学物質を取り出す。それをR型菌に混ぜるとR型菌はS型菌に変化する。エイブリーの実験机には、偉大なる先駆者グリフィスの写真が飾ってあった。エイブリーは菌の性質を変えうる化学物質が一体何であるのか、究明しようとした。

　菌の性質を変える物質。それはとりもなおさず「遺伝子」のことである。彼は遺伝子の化学的本体を見極めるという生物学史上最も重要な課題にチャレンジを開始したのだ。しかし慎重で控えめなエイブリーはこの物質を遺伝子（ジーン）とは呼ばず、形質転換物質と呼んでいた。

　当時、すでに遺伝子の存在とその化学的実体について多くの予測がなされていた。遺伝子は形質に関する大量の情報を担っている。したがってきわめて複雑な高分子構造をしているはずである。細胞に含まれる高分子のうち、複雑なものの第一はタンパク質だ。だから遺伝子は特殊なタンパク質であるに違いない。これが当時の常識だった。

エイブリーももちろんそのことを知っていた。しかし、彼の実験データが示している事実は、遺伝子がタンパク質であるという予測とは違っていた。エイブリーはS型菌からさまざまな物質を取り出し、どれがR型菌をS型菌に変化させるかしらみつぶしに検討していった。その結果、残った候補は、S型菌体に含まれていた酸性の物質、核酸、すなわちDNAであった。

核酸は高分子ではあるけれど、たった四つの要素だけからなっているある意味で単純な物質だった。だからそこに複雑な情報が含まれているなどとは誰も考えていなかった。今日の私たちは、たとえ0と1という二つの数字だけからでも、複雑な情報が記述でき、むしろそのほうがコンピュータを高速で動かすには好都合だということを知っている。しかし、当時、情報のコード（暗号）化についてそのように考えられる研究者は、少なくとも生物学者にはいなかった。エイブリーも自分の実験結果に半信半疑であった。何度も実験を繰り返し、いろいろな角度から再検討を行った。しかし、結果はただひとつのことを示していた。

遺伝子の本体はDNAである。

第3章　フォー・レター・ワード

たった四文字しかない

ＤＮＡは長い紐(ひも)状の物質である。紐をつぶさに見ると真珠が連なったネックレス状の構造をしている。ＤＮＡの中に生命の設計図が書き込まれているとすれば、個々の真珠玉はアルファベット、紐は文字列にあたる。研究者たちはＤＮＡの文法を解きたいと考えて、まずそのアルファベットのありさまを調べた。

ＤＮＡを強い酸の中で熱すると、ネックレスの連なりが切断され、真珠玉はバラバラになる。そこで真珠の種類を調べてみた。すると真珠はなんとたった四種類しか存在していなかったのである。ＡとＣとＧとＴの四つのアルファベット。これでは、this is a pen すら書くことができない（八種のアルファベットがいる）。AとCとGとTの四つのアルファベットだけでは、せいぜい、AAAGGAGAGTTTCTAとか、GGGTATATTGGAAといったうめき声か歯軋り程度の言葉しか発することができない。

いくらDNAが巨大な紐であり、そこに何万ものAとCとGとTが連なっているとしても、これはいってみればうどの大木であって、精妙な情報を担っているとは到底考えがたい。DNAは所詮、細胞内の構造を支えるロープ程度の役割しかないのではないか、そうみんなは思っていたのである。エイブリーも最初はそう考えていた。

細胞からDNAを取り出すことは簡単である。細胞を包んでいる膜をアルカリ溶液で溶かし、上澄み液を中和して塩とアルコールを加えると、試験管内に白い糸状の物質が現れる。これがDNAだ。ガラスの棒でこの糸をからめとれば、DNAを抽出したことになる。

肺炎双球菌の一タイプであるS型菌（病原型）から、DNAを抽出し、これをR型菌（非病原型）と一緒に混ぜ合わせる。DNAのごく一部はR型菌の菌体内部に取り込まれる。すると、R型菌は、S型菌に変化し、肺炎を引き起こすようになったのだ。つまり、DNAという物質は確かに生命の形質を転換する働きがある。エイブリーはこの実験を繰り返し注意深く行い、さまざまな工夫を重ねて、より精密化していった。

純度のジレンマ

生命科学を研究するうえで、最も厄介な陥穽は、純度のジレンマという問題である。生物試料はどんな努力を行って純化したとしても、100%純粋ではありえない。生物試料にはどのような場合であっても、常に、微量の混入物がつきまとう。これがコンタミネーションだ。

S型菌から取り出してきたDNAは、試験管の中で人工的に合成された化合物ではない。何万種類ものミクロな構成成分からなる生きた細胞から取り出してきたものである。ガラス棒にからまりついた白い糸状のものは確かにDNAである。しかし、そこにあるのは純粋なDNAだけではない。DNAに付着しているさまざまなタンパク質や膜成分が一緒に存在しているはずである。

菌の性質を変えるという形質転換作用は、DNAそのものがもたらしているのでなく、そこに微量混入している別の物質、つまりコンタミネーションに起因しているのかもしれない。この可能性を排除するために、研究者はあらゆる努力をしてコンタミネーションを取り除き、DNAを可能な限り純化しなければならない。エイブリーもまたもてる力のすべてをこの努力に傾注した。

エイブリーは自分の研究成果を誇示したり、ことさら外に向かって宣伝するようなことは一切しなかった。ただ一歩一歩、得られたデータから導かれる控えめな推論を記述した論文を投稿していった。それらは、当時、彼の所属するロックフェラー医学研究所が発刊していた、ジャーナル・オブ・イクスペリメンタル・メディスン（実験医学会雑誌）という専門誌に掲載された。

エイブリーは謙虚だったが、しかし、その批判者たちは容赦なかった。形質転換物質、つまり遺伝子の本体がDNAであることを示唆するエイブリーのデータに最も辛辣な攻撃を加えたのは、なんと、同じロックフェラー医学研究所の同僚、アルフレッド・ミルスキーだった。彼は、執拗に、コンタミネーションの可能性を指摘した。形質転換をもたらしているのは、DNAではなく、エイブリーの実験試料に含まれている微量のタンパク質の作用に他ならないと。DNAのような単純な構成の物質に遺伝情報が担えるはずがなく、遺伝子の本体はタンパク質であるはずだと。

研究者仲間から、それもよりによって同じ研究所員から激しい反撃をうけたエイブリーの心中は穏やかだったであろうはずがない。それは彼が学究生活に求めていた清明さの対極にあるものだったろう。それでもとりうる道はひとつしかなかった。できるだけDNAを純化して形質転換を実証するしかない。

試料のDNAには傷をつけずに、そこに混入するタンパク質を取り除くにはどうすればよいだろうか。ひとつは、タンパク質分解酵素を利用することである。タンパク質分解酵素で試料を処理すると、酵素は特異的にタンパク質だけに作用して、それを破壊する。DNAには作用しない。この処理の後、なお試料に形質転換作用が残っていれば、やはりDNAが形質転換物質だといえる。答えは、YESだった。

逆に、今度は、DNA分解酵素で試料を処理すればどうだろうか。この酵素は、DNAにのみ作用して、これを粉々に分解する。しかし、試料中のタンパク質には作用しない。だからDNA分解酵素で処理した試料から、形質転換作用が消えれば、形質転換物質はやはりDNAだということになる。逆にもし形質転換作用が消えなければ、試料中のDNA以外の物質が形質転換物質ということになる。実験結果は、前者、すなわち、DNA分解酵素によって形質転換作用は消失した。

このような追究を詰めていっても、批判者の攻撃はなかなか弱まらなかった。タンパク質分解酵素の処理で形質転換作用が消えないのは、遺伝子として機能しているタンパク質がその酵素作用に抵抗性を示す種類のものだからである、といった反論や、DNA分解酵素によって形質転換作用が消失するのは、その酵素自体に、タンパク質分解酵素が混入しているからかもしれないというのだ。

こうなると議論は収拾というよりも混迷を深めるばかりとなる。たとえ、DNA試料を99・9%まで純化したとしても、残りの0・1%のコンタミネーションに真の作用があるのかもしれない。100%の純化が理論的に不可能な生命科学にあっては、このような反論に有効に反証するすべがない。

コンタミネーションは、たとえば、先に触れた野口英世による病原体特定の研究にも不可避的に伴随する問題といえる。顕微鏡下にうごめく微生物を捉え、それをピペットで吸い取って健康な動物に注射し、病気をもたらすことに成功したとしても、その微生物が病原体そのものであるとは結論できない。ピペットで吸い取った溶液の中に、顕微鏡で見えていた微生物以外の微細なもの、光学顕微鏡では像を結ぶことのできないウイルスのようなものが、微量混入している可能性を排除できないのである。

「ふるまい」の相関性

純度のジレンマ、すなわち、コンタミネーションの問題を有効に解決しうる方法は、しかし、まったく存在しないわけではない。確かに、どれほどサンプルを純化しても完全に純化することは不可能である。だから別の視点が必要となる。それは物質の「ふるまい」を調べるという方法だ。

私は、一九七〇年代が終わろうとする頃、京都大学に入学した。この頃の京都大学はきわめてのんびりしていて、学年の進級に関して何の制約もなかった。単位はすべて卒業までに取得すればよく、各人の専攻も入学時に決まっており、東京大学のように専門課程への進学振り分けに際して点数が細かく問われることもなかった（それに応じて、教師の側も実に大雑把な成績しかつけていなかったと思える）。結局、自由気まま、自堕落な学生生活を散々送った挙句に、四年生になってからあわてて単位をそろえるような学生も多数いた。それを彼らは「教養がじゃまする」などと称していた（教養課程の単位不足という意味である）。そんなことであるから、高校を出たばかりの一年生の語学クラスに﨟長けた四年生が少なからず混じりこんでいた。

今から思えばこのようなモザイク性こそ大学の面白さだといえるのだが、そこで私が学んだことで、今でも憶えているのがこの「ふるまい」という言葉なのである。

物か事かあまり定かではないが、何らかの無生物が主語で、そのbehaviorについて記述された文章だった。意味は取れるものの、誰もうまく訳せなかった。そんなとき後ろのほうにいた四年生が、ふるまい、って訳されていることが多いですよ、といったのである。物質のふるまい方。それ以降、この言葉は私の引き出しに大切にしまわれた。

純度のジレンマは、純化のプロセスと試料の作用との間に同じ「ふるまい」方が成り立つことを証明すればよいのである。たとえば、DNAの含有量が70%程度しかない粗精製品では、形質転換作用の効率はそれほど高く現れない（この値は、たとえば、千個の細胞のうち三十個の形質転換をもたらす、というふうに定量化される）。しかし、さらに純化を進めて、DNAの含有量を99%にまで高めた試料を使うと、形質転換効率がそれに応じて、増強されるということを示すのである。このとき、DNAの純度と形質転換作用とが相関的にふるまっていることになる。

もし、試料に混入している物質が、形質転換作用をもたらすなら、DNAの純度が上昇するにつれ、コンタミネーションの程度は低下するから、形質転換作用も低減するはずである。つまり、その場合にはDNAと形質転換作用との間にふるまいの相関性はない。

研究の質感

残念ながら、エイブリーの時代にはここまで精密な、物質のふるまい方の動的な相関関係を示す実験は実現できなかった。ひとつには形質転換作用を示す実験が、ある意味で、菌の気まぐれによる（つまり、たくさんいるR菌のごくわずかな菌体がたまたまS菌由来のDNAの重要部分を取り込んで、それがうまく作用して初めて、形質転換が生じる。このプロセスを定量的に扱うことはなかなか困難である）ため、その作用の強弱を数値として明確に示しえなかったのである。それでもエイブリーの論文を紐解くと、彼はできるだけこの現象を定量化しようとさまざまな工夫を凝らしていた過程を読み取ることができる。

そして結局、エイブリーが正しく、ミルスキーは間違っていたのである。エイブリーを支えていたものは一体何だったのであろうか。エイブリーがロックフェラー研究所のホスピタル棟六階の研究室で、肺炎双球菌の形質転換実験に邁進（まいしん）していたのは一九四〇年代初頭から半ば、彼はすでに六十歳を越えていた。もちろん彼は研究室を主宰するプロフェッサーであり、複数のスタッフを擁していたが、彼は自ら試験管を振り、ガラスピペットを操作していた。研究室員はそんなプロフェッサーを、敬意を込めて〝フェス〟と呼んでいたという。

おそらく終始、エイブリーを支えていたものは、自分の手で振られている試験管の内部で揺れているDNA溶液の手ごたえだったのではないだろうか。DNA試料をここまで純化して、これをR型菌に与えると、確実にS型菌が現れる。このリアリティそのものが彼を支えていたのではなかったか。

別の言葉でいえば、研究の質感といってもよい。これは直感とかひらめきといったものとはまったく別の感覚である。往々にして、発見や発明が、ひらめきやセレンディピティによってもたらされるようないい方があるが、私はその言説に必ずしも与できない。むしろ直感は研究の現場では負に作用する。これはこうに違いない！　という直感は、多くの場合、潜在的なバイアスや単純な図式化の産物であり、それは自然界の本来のあり方とは離れていたり異なったりしている。形質転換物質についていえば、それは単純な構造しか持ちえないDNAであるはずがなく、複雑なタンパク質に違いないという思考こそが、直感の悪しき産物であったのだ。

あくまでコンタミネーションの可能性を保留しつつも、DNAこそが遺伝子の物質的本体であることを示そうとしたエイブリーの確信は、直感やひらめきではなく、最後まで実験台のそばにあった彼のリアリティに基づくものであったのだ。そう私には思える。その意味で、研究とはきわめて個人的な営みといえるのである。

生命現象全般を貫く構造

エイブリーは、最後まできわめて慎重な論調の論文を残して、一九四八年、ロックフェラー医学研究所を定年退職した。独身を通したエイブリーは、テネシー州ナッシュビルにいた妹のところへ身を寄せ、余生を過ごした。庭の花をいじったり、付近を散策することもあったという。エイブリーは高い空に、あるいは吹き渡る風の中で、彼の手の中で揺れていたDNAの行方に思いを馳せる瞬間があっただろうか。

ロックフェラー大学の人々にエイブリーのことを語らせると、そこには不思議な熱が宿る。誰もがエイブリーにノーベル賞が与えられなかったことを科学史上最も不当なことだと語り、ワトソンとクリックはエイブリーの肩に乗った不遜な子供たちに過ぎないとののしる。

皆がエイブリーを自分に引き寄せて、自分だけのアイドルにしたがる理由は他にもあるような気がする。早熟な天才だけが、あるいは若い一時期だけが、研究上のクリエイティビティを発揮できる唯一のチャンスであると喧伝される科学界にあって、遅咲きのエイブリーはここでもある種の慰撫をもたらしてくれるアンサング・ヒーローなのだ。

しかし、公平のためにいえば、エイブリーはすべての栄誉から見放されたわけではない。先駆的な科学上の発見を顕彰し、今日では、将来のノーベル賞を占うものにもなっているラスカー賞を退官間近の一九四七年（第二回）に受けている。外出嫌いの彼が果たして授賞式に出席したかどうかまでは調べることができなかった。また、一九六五年九月には、エイブリーを讃える記念碑がロックフェラー大学構内の木陰に立てられた。そこには、こう記されている。

オズワルド・セオドア・エイブリー（一八七七―一九五五）
一九一三年から一九四八年までロックフェラー研究所所員であった。
感謝の気持ちをこめてこの記念碑をおくる。
友人、同僚たちより。

DNAにはその配列の中に、生命の形質を転換させるほどの情報が書き込まれている。エイブリーがもたらしたまぎれもない大発見である。では、たった四種の文字はどのような方法で情報を担っているのであろうか。

A、C、G、Tで表わされるアルファベットは、化学用語でいうとヌクレオチドと呼ばれるDNAの構成単位である。このような構成単位（アルファベット）とその連なり（文字列）、という原理は、生命現象全般にわたって貫かれている構造でもある。

当初、遺伝子の本体と目されていたタンパク質も、その構造原理はDNAときわめて類似している。タンパク質は紐状の高分子であり、その紐には数珠玉（じゅずだま）が連なっている。数珠玉はアミノ酸と呼ばれる化学物質である。タンパク質の紐を構成するアミノ酸は二十種類もある。つまりアミノ酸は、本来のアルファベット（二十六文字）に匹敵する多彩さをもってタンパク質の文字列をつむぎだすことができる。これがタンパク質の多様性・複雑性も

DNAとタンパク質の対応関係

高分子	構成単位	種類	機能
核酸（DNA）	ヌクレオチド	4種	遺伝情報の担い手
タンパク質	アミノ酸	20種	生命活動の担い手

もたらす。タンパク質は、生命活動そのものを作動し、制御し、反応させる実行者である。ＤＮＡとタンパク質には表のような並行的な対応関係がある。

ＤＮＡはどのようにして形質を運ぶのか

抗生物質とは細菌の増殖を阻止する薬物である。ペニシリンやストレプトマイシンは非常によく効き、数多くの人々を感染症から救った。ところが、やがてこれらの薬物が効かない細菌が出現しだした。抗生物質耐性菌である。

今日、私たちはこの果てしなきイタチごっこの悲劇的な終幕にある。最強の抗生物質として登場したメチシリンやバンコマイシンに対してもびくともしない耐性菌ＭＲＳＡやＶＲＥが出現し、これらが治療の現場である病院内で重篤な感染をもたらす。人類は微生物戦争の前線をじりじりと後退させられているのだ。

これまで作用していた抗生物質が効かなくなるというのは、つまりその抗生物質が無力化されてしまうということだ。耐性菌は、抗生物質を分解したり、あるいは、別の無害な物質に変化させてしまう。つまり新しい能力（＝形質）を獲得している。このような能力は、異なる細菌の間にでも急速に広がる。この背景には、細菌の間でＤＮＡのやりとりがあることが知られている。

耐性菌から非耐性菌へとＤＮＡが手渡されると、つまり遺伝子が水平に移動すると非耐性菌は耐性菌となる。これはエイブリーの実験、すなわち病原型のＳ型細菌のＤＮＡが、非病原型のＲ型細菌に与えられると、Ｒ型はＳ型の形質を獲得して病原型になるのと同じ現象である。エイブリーが行った実験は、自然界の中でも起こっていたのである。

では、ＤＮＡはどのようにして形質を運んでいるのか。ここに、ＤＮＡとタンパク質の並行関係を解く鍵がある。ＤＮＡが運んでいるのはあくまで情報であって、実際に作用をもたらすのはタンパク質である。抗生物質を分解するのは酵素と呼ばれるタンパク質であり、病原性をもたらす毒素や感染に必要な分子も皆、タンパク質である。耐性菌から非耐性菌へ、あるいは、Ｓ型菌からＲ型菌へ手渡されているＤＮＡの上には、分解酵素や毒素タンパク質を作り出すための設計図が書き込まれているのだ。

エイブリー亡き後、科学者たちの前に立ちはだかったのは情報の壁だった。たった四種類しか文字のないＤＮＡが、どのようにして二十種類もの文字からなるタンパク質の設計図を担いうるのか？

これはわかってみると実にシンプルなコナンドラム（謎かけ）だった。四種のＤＮＡ文字が、それぞれ一つずつタンパク質文字に対応しようとするから困難なだけである。四種のうち二つのＤＮＡ文字が、一つのタンパク質文字に対応するとすれば？　二つのＤＮＡ文字が作りうる順列組み合わせは、４×４で十六通り。二十種をカバーするにはまだ若干足りない。では、三つのＤＮＡ文字で、一つのタンパク質文字に対応すれば？　ＤＮＡの文字は、４×４×４で六十四通りもの順列組み合わせを作り出せる。これなら二十種類のタンパク質文字をカバーすることなどわけはない。実際に、自然界が採用したのもこの可能性だった。

this is a penというタンパク質文字、つまりアミノ酸配列に対応するＤＮＡ文字は次のように作り出されればよい。ｔにはＡＣＡ、ｈにはＣＡＣ、ｉにはＡＴＡ、ｓにはＡＧＣ、という具合に、三つのヌクレオチドを対応させれば、

ACA CAC ATA AGC ATA AGC GCG CCG GAG AAC
t h i s i s a p e n

という、かつてどこかの国の宰相が揶揄されたようなうめき声の中に、this is a penと

いう暗号を埋め込むことができる。こうして、単純で無意味な高分子に見えたDNAは、タンパク質の配列情報を担い、保存し、他者へ運び込み、そして複製しうる情報高分子となりえたのである。

一方で、たった四種しかないDNA文字が、新たな変化の可能性までをも、そのシンプルさゆえに容易に生み出しうるということも見逃すことのできない真実だった。仮に、pen のeをコードするGAGという三つのDNA文字が些細な理由で（それはタバコの煙かもしれないし、紫外線かもしれない）、GCGに書き換わったとしたら。文字列の意味は、this is a pan（これはフライパンです）に変化する。あるいは、eがiに書き換わったとしたら。書斎派のペン先は、一瞬のうちに料理道具にも、棘（pin）にも変わってしまうのである。

そして実際に自然界で起こっている突然変異、ひいては進化そのものも、DNAの文字上に起きたごくわずかな変化が、タンパク質の文字を書き換え、それが場合によってタンパク質の作用に大きな変更をもたらすことで引き起こされるのである。

DNAこそが遺伝子の本体であることを明確に示したエイブリーの業績は、生命科学の世紀でもあった二十世紀最大の発見であり、分子生物学の幕開きをもたらしたことは疑う余地がない。DNA構造の解明、そしてDNA暗号の解読などDNA研究の嵐が疾風怒濤のごとくはじまったのは、エイブリーが研究の現場から退場してしばらくたってからのことだった。

あらゆる科学上の報賞が与えられても過分とはいえないこのエポックは、しかしながら、孤高の先駆者の常としてほんの少しだけ早すぎたのである。

第4章　シャルガフのパズル

シャルガフのパズル

DNAこそが遺伝情報を担う物質である。

進歩しているようでその実、同じような円環を回って元の場所に戻るがごとき人間の認識の旅路の中で、その円環が、わずかながらでもらせんを描いて上層階に昇りうることがあるとすれば、それはこのエイブリーの発見のようなエポックを指すのだろう。文字通り、彼は人類史上初めて、このテラ・インコグニタ（未知の大地）へつながる〝らせん〟階段の扉を開いたのである。

ネズミ。エイブリーをそう呼んだのは、当時、ロックフェラー医学研究所と同じくマンハッタンにあったコロンビア大学・生化学研究室の研究者、アーウィン・シャルガフである。研究所の暗い廊下を行き来する年老いたネズミのような影。その影が去った後を追って、科学者たちは、こぞってDNAを分析しはじめた。皆が、自分こそはコード（暗号）を解くものであるとひそかに心に誓っていた。むろん、シャルガフもそのひとりだった。それゆえにこそ、のちに夢破れてからでも、彼はエイブリーのことを親愛の追想をこめてネズミと呼んだのだ。事実、シャルガフは、当時、誰よりも聖杯の隠し場所に肉薄していたのである。

そのとき彼は、自らたどり着いた場所で次のようなメッセージを読み解いていた。

「動物、植物、微生物、どのような起源のDNAであっても、あるいはどのようなDNAの一部分であっても、その構成を分析してみると、四つの文字のうち、AとT、CとGの含有量は等しい」

この奇妙なデータは一体なにを暗示しているのだろうか。

私たちも、シャルガフと同じ分析をしてみよう（ただし、私たちはシャルガフが、持ちたくとも持ちえなかった鳥の目をもって、DNAを俯瞰できることとしよう）。

先に記したように、this is a penというアミノ酸配列（十文字）情報を担うＤＮＡは次の三十文字である。

ACA CAC ATA AGC ATA AGC GCG CCG GAG AAC
t h i s i s a p e n

強い酸を加えてＤＮＡを煮ると、文字と文字をつなぐ結合が切れて、ＤＮＡはバラバラの文字となる。そこで、Ａ、Ｔ、Ｃ、Ｇを拾い集めて数を数える。

Ａが12、Ｔが２、Ｃが９、Ｇが７

ＡとＴの数は大幅に異なるし、ＣとＧの数も違う。すこしもシャルガフの分析結果と一致しない。もちろん、これはシャルガフが誤っているせいではない。私たちの思考実験が誤っているのである。

ちなみに、生命科学では常に観測データが理論よりも優先する。とはいえ、それは観測が正しく行われているとしての話である。

科学者はその常として自分の思考に固執する。仮に、自分の思いと異なるデータが得られた場合、まずは観測の方法が正しくなかったのだと考える。自分の思考がまちがっているとは考えない。それゆえ、自分の思いと合致するデータを求めて観測（もしくは実験）を繰り返す。

しかし、固執した思考はその常として幻想である。だから一向に合致するデータが得られることはない。科学者はその常としてますます固執する。隙間に落ちた玉を拾うために隙間を広げると玉がさらに深みにはまるように、あてどもない試みが繰り返される。研究に多大な時間がかかるのは実はこのためである。

仮説と実験データとの間に齟齬（そご）が生じたとき、仮説は正しいのに、実験が正しくないから、思い通りのデータが出ないと考えるか、あるいは、そもそも自分の仮説が正しくないから、それに沿ったデータが出ないと考えるかは、まさに研究者の膂力（りょりょく）が問われる局面である。実験がうまくいかない、という見かけ上の状況はいずれも同じだからである。ここでも知的であることとの最低条件は自己懐疑ができるかどうかということになる。

ＤＮＡは単なる文字列ではない

さて、シャルガフのパズルにもどろう。もとより、シャルガフの場合、あらかじめＤＮ

Ａの構造に対して明示的な「仮説」があったわけではない。ＤＮＡの構成に関して、精密な実験を繰り返し行った結果、Ａの数＝Ｔの数、Ｃの数＝Ｇの数というパターンが見出された、ということに過ぎない。仮説はむしろここからはじめられる。このパターンが示すことは一体何か？

一般的に、使用する文字の数や種類を制限して文章をつづろうとすれば大いなる制約に直面する。文字を並べ替えて別の単語にするアナグラムや、使用回数を制限するいろは歌、上から読んでも下から読んでも同じ文章となる回文などがそうだ。Ａ＝Ｔ、Ｃ＝Ｇという使用文字数の制限を設ければ、情報の表現法は限定されてしまう。しかも、先に見たように、アミノ酸に対応した核酸塩基配列は、それが単なる文字列であるとするなら、そこに出現する四つの文字の頻度にＡ＝Ｔ、Ｃ＝Ｇといった使用制限を設けることなどできはしない。結局、いいうることはただひとつである。

ＤＮＡは単なる文字列としてあるのではない

ではそれはどのような文字列としてあるのか？　当時、それが誰にも解けなかった。文字の出現パターンに早くから気がついたシャルガフ自身にもわからなかった。このパズルを最初に解いたのが、ワトソンとクリックである。彼らがどのように正解にたどり着いたのか、その秘密については別の場所で再検討するとして、ここでは答えだけを先に示そう。

DNAは単なる文字列ではなく、必ず対構造をとって存在している

そして、その対構造は、AとT、CとGという対応ルールに従う。つまり、先に取り上げた三十文字のDNAは、単なる一本の鎖として存在するのではなく、次のような相補的な鎖とセットで存在しているのだ。

```
ACACACATAAGCATAAGCGCGCCGGAGAAC センス鎖
||||||||||||||||||||||||||||||
TGTGTGTATTCGTATTCGCGCGGCCTCTTG アンチセンス鎖
```

DNAの鎖は常にこのような二本鎖のペア構造をとっている。だからこそシャルガフの法則が成り立つのである。このペア構造を文字のレベルに分解すれば、右の鎖は、先ほど示したとおり、Aが12、Tが2、Cが9、Gが7、左の鎖は、Aが2、Tが12、Cが7、

Gが9となり、分析結果はこれを合一したものとして現れるので、Aが14、Tが14、そして、Cが16、Gが16、見事に、A=T、C=Gとなって、シャルガフの法則を体現する。

あとになって、ワトソンは、そんなことはちょっと考えれば誰にでもわかることさ、なぜなら自然界で重要なものはみんな対になっているから、と嘯(うそぶ)いた。目前のところで、この大発見を逃し、ノーベル賞を逃すことにもなった誇り高いシャルガフの胸中はいかばかりのものだっただろうか。

対構造が意味するもの

読者のために、もうすこし説明を加えておけば、AとTが、互いに対合(ついごう)して存在できるのは、AとTの構造に、化学的な凹凸関係が成り立つからである。そして、CとGとの間にも異なる凹凸関係が成立する。この特異性が二本のDNA鎖をペアリングさせている。これを模式的に書くと次のようになる。

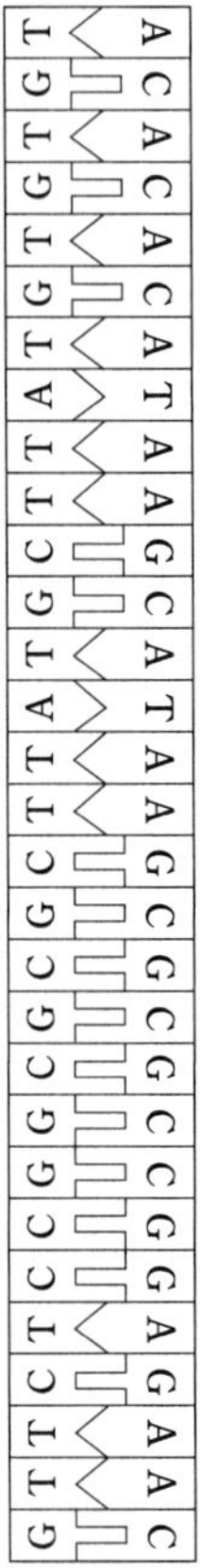

さらにいえば、この二本のＤＮＡ鎖は、ペアリングしながらラセン状に巻かれて存在していたのである。こんな風に。

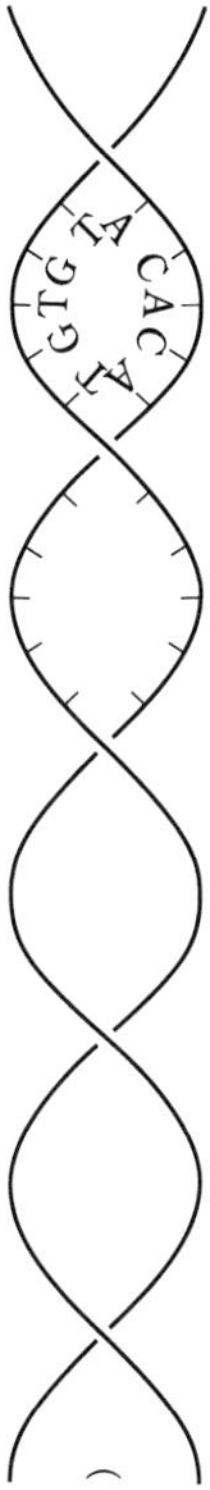

（一部省略）

しかし、今、重要なのは、ラセン構造そのものよりも、ＤＮＡがペアリングして存在しているという事実のほうである。これは生物学的にどのような意味を持つのだろうか。それは情報の安定を担保するということにつきる。

ＤＮＡが相補的に対構造をとっていると、一方の文字列が決まれば他方が一義的に決まる。あるいは二本のＤＮＡ鎖のうちどちらかが部分的に失われても、他方をもとに容易に修復することが可能となる。

ＤＮＡは紫外線や酸化的なストレスを受けて、配列が壊れることがある。ＡＴＡＡという部分配列がなくなったとしても、相補的なもう一方の鎖にＴＡＴＴという構造が保存されていれば、自動的に穴を埋めることができる。事実、ＤＮＡは日常的に損傷を受けており、日常的に修復がなされている。この情報保持のコストとして、生命はわざわざＤＮＡ

をペアにして持っているのだ。そのうち一本は、たとえば、this is a penという情報を配列としてダイレクトに持つ鎖、すなわちセンス（意味）鎖である。もう一方は、このセンス鎖の影武者（あるいは映し鏡）としての鎖、すなわちアンチセンス鎖である。

ワトソンとクリックは、シャルガフの法則を解明した記念碑的な論文の最後に、すでに記したように、次のような一文を挿入していた。

この対構造が直ちに自己複製機構を示唆することに私たちは気がついていないわけではない。

DNAは、互いに他を写した対構造をしている。この相補性は、部分的な修復だけでなく、DNAが自ら全体を複製する機構をも担保している。二重ラセンがほどけると、センス鎖とアンチセンス鎖に分かれる。それぞれを鋳型にして新しい鎖を合成すれば、つまりセンス鎖は、それをもとに新しいアンチセンス鎖を、もとのアンチセンス鎖は、新しいセンス鎖を合成すれば、そこにはツー・ペアのDNA二重ラセンが誕生する。一本の鎖が存在すれば、その文字配列に沿って、順に、対合する文字をひろって他方の鎖が合成され、その文字配列は自動的に決定される。

これが生命の〝自己複製〟システムである。ひとつの細胞が分裂してできた二つの娘（じょう）細胞に、このDNAを一組ずつ分配すれば、生命は子孫を残すことができる。そしてこれは地球上に生命が現れたとされる三十八億年前からずっと行われてきたことなのである。

ここに、「生命とは、自己複製を行うシステムである」との定義が生まれる。そしてこのことは、DNAがもつ美しい二重ラセン構造に明確に担保されている。構造がその機能を体現する。DNAによる生命の定義が、文字通り、中心的な教義＝セントラル・ドグマとなりえた瞬間である。

DNAを増やすには？

実際に、細胞内でDNAが複製されるときに生じていることは、きわめて複雑な反応系の連鎖であり、実に、数十以上の酵素や機能タンパク質によって支えられている。生化学の教科書はふつうDNAの複製機構だけで長い一章が費やされる。

DNAの二本鎖はまず特別な仕組みでほどかれなければならない。ラセンをほどくときに生じるねじれを解消する仕組みも必要となる。ほどかれた地点には複数の酵素群が集結し、核酸の材料となるヌクレオチドを動員してひとつの鎖を鋳型にして新しい鎖を合成しはじめる。このとき細胞の狭い核の内部では、数々の空間的な問題が生じる。それを解決しながら円滑なDNA複製を進める仕組みが必要となる。

ここではその詳細を述べることはしないが、人間が人工的にそれを模倣することはもちろん不可能である。一方、研究者は、それがほんの小さな断片であっても、研究対象とするDNAを複製して十分な量にまで増やさないとそれを生化学的に解析することができない。よく「これがDNA鑑定の結果です」といった映像として、なにやらバーコードのようなものをテレビで見たことがある方もいるだろう。あのようにDNAを「見える」ようにするためには、バーコード一本あたりなんと十億コピー以上のDNA分子が必要となるのである。

DNAを増やしたいときには細胞の力を借りるしかない。多くの場合、特別な大腸菌を使って、その内部でDNAを増やしてもらうのが普通の研究方法となっている。

DNAの二重ラセン構造の秘密にあと一歩まで迫りながらも、アーウィン・シャルガフはそれを果たせず、後からこの岩壁に取りついた新参者の若造二人に登頂の栄誉をさらわれてしまった。

一九五三年のワトソンとクリックの発見以来、DNA複製機構の研究は驚くべき進展を見せ、先に記したようにその複雑な局面が次々と明らかにされていった。そして主要な部分はほとんどが解明され、それに関与する分子もほぼ出揃った。

しかし、これらの解明に多大な寄与を行った数々の著名な科学者たちをしても、あるとてもシンプルなアイデアに思いがいたることはなかった。わかってみれば、そんな単純なことをどうして自分は気づくことができなかったのかと誰もが嘆息した。しかしそれは、DNA構造の秘密と同じく、長い間、誰にも思いつけなかったのである。

天啓が、ある一人のワイルドな人間の頭上に舞い降りたのは実はごく最近のことなのである。

PCRマシンが起こした革命

それは一九八八年のことである。その年、私はアメリカで研究生活をスタートした。春から夏にかけて、研究所内でも学会に出かけても、出会う研究者はことごとくすべて躁状態になって同じ三文字をうわごとのようにつぶやいていた。PCR（ピーシーアール）。ポリメラーゼ・チェイン・リアクション（ポリメラーゼ連鎖反応）の頭文字である。

マンハッタン・イーストリバー沿いに立つ私たちの研究室にも、パーキン・エルマー・シータス社から発売された真新しいPCRマシンが導入された。一見、何の特徴もない、電子レンジほどの矩形（くけい）の装置だった。しかし、それは小さな神棚のように、研究室の一番よい場所に鎮座していた。

私たち分子生物学者は、それまでに幾度となく、画期的あるいは革命的な新技術が開発されたというニュースの洗礼をうけていた。それらの方法はいずれも確かに便利ではあったが、喧伝されているほど素晴らしい効果がもたらされるものではなかった。つまり私たちはその手の惹句に半ば食傷し、半ば慣れっこになっていた。

私は、シータス社のPCRキットの指示書にしたがって、小さなプラスチックチューブに必要な薬品を調合し、それをPCRマシンに並べてスイッチを押した。装置は鈍いうなり音を発して運転を開始した。二十年近くがたとうとする今でも、私は暗室で目の前に立ち現れた実験結果をありありと思い出すことができる。紫外光に照らされて青色に染まったDNAのバンドがくっきりと浮かび上がっていた。私たちが一年以上もかかって追い求めていた遺伝子がそこにあった。それをPCRは一瞬にしてもたらしたのだ。

任意の遺伝子を、試験管の中で自由自在に複製する技術。もう大腸菌の力を借りる必要はない。分子生物学に本当の革命が起こったのだった。

PCRの原理

PCRの原理は実にシンプルである。

まず、複製したいDNAが入ったチューブを短時間100℃近くにまで加熱する。すると、AとT、CとGを対合させていた結合が切れて、DNAはセンス鎖とアンチセンス鎖に分かれる（加熱しただけでは、DNAの鎖自体は切れない）。このあとチューブは一気に50℃程度にまで冷やされる。そこからまた徐々に72℃まで加熱される。

チューブの中には、ポリメラーゼと呼ばれる酵素とプライマー（短い合成一本鎖DNA）、そして十分な量のA、T、C、G、四文字のヌクレオチドがあらかじめ入れられている。ポリメラーゼは、センス鎖の一端に取りつき、プライマーの助けを借りて、センス鎖を鋳型にして、対合するDNA鎖を四つの文字でつむいでいく。同じことがアンチセンス鎖でも起こる。つまりアンチセンス鎖を鋳型に、新しいDNA鎖がポリメラーゼによって合成されていく。

合成反応は一分程度で終わる。これが完了するとDNAは二倍に増える。ここでチューブは再び、100℃に加熱される。すると、DNAはそれぞれセンス鎖とアンチセンス鎖に分かれる。温度が下げられて、ポリメラーゼによる合成反応が行われる。DNAはここで四倍になる。まったく同じサイクルが繰り返される。一サイクルはほんの数分である。もとのDNAは十サイクル後には2の10乗、つまり千二十四倍に増え、二十サイクル後には、百万倍、三十サイクル後には、なんと十億倍を突破する。この間、わずか二時間足らず。

ＰＣＲマシンは、その実、温度を上げたり下げたりするだけの装置にしかすぎない。しかしそのとき、チューブの中でＤＮＡは連鎖反応的に増幅を繰り返すのである。

１００℃に加熱しても、酵素がその活性を失わないように、ここで使われるポリメラーゼは、海底火山近くの土壌から採取された好熱細菌から抽出されたものである。１００℃に晒されても変性しない。反応の最適温度は72℃。この酵素はＰＣＲの普及に大いに貢献したが、ＰＣＲのミソはそこにあるのではない。ＰＣＲのミソは単にＤＮＡを複製するだけでなく、ごちゃ混ぜのＤＮＡの中から、特定の一部だけを抜き出して増幅することを可能としたことにある。

特定の文字列を探して増やす

ヒトのゲノムは三十億個の文字から成り立っている。一ページに千文字を印刷して一巻千ページとしても全三千巻を要する超一大叢書となる。遺伝子研究では、この中から特定の文字列を探し出さねばならない（ソーティング）。しかし、探し出すだけでは不十分なのである。その部分のコピーを増やさねばならないのだ。ＰＣＲとは、ＤＮＡの二重ラセンがセンス鎖とアンチセンス鎖でできていることを巧みに利用して、ソーティングとコピーを同時に実現するテクノロジーなのである。

その鍵は、二つのプライマーにある。プライマーとは、ごく短い、十から二十文字の一本鎖DNAである。この程度の文字列なら、任意の配列を簡単に人工合成することができる。

今、三十億文字からなるゲノムの中のどこかに存在する、千文字からなる特定の遺伝子を取り出し、増幅したいとしよう。もとになるゲノムは、犯行現場から採取された犯人のものと思われる髪の毛から抽出されたサンプルで、ほんのわずかな量しかない。しかし失敗は許されない。千文字の配列には、個人を特定できる「指紋」配列が含まれており、これを解読すれば犯人への有力な手がかりが得られるからである。

私たちはまず、千文字のDNA配列の左端に着目する。正確にいえば、左端のさらに外側の部分である。ここは個人差のない、ヒト共通の配列であり、ゲノム・プロジェクトによってすでに文字列は明らかになっている。プライマー1は、十文字からなり、ちょうどこの端の部分の、アンチセンス鎖に相補的に対合する配列を持つように合成された。

100℃に加熱されてセンス鎖とアンチセンス鎖に分離したゲノムDNAのサンプルには、このプライマー1が添加してある。プライマー1はゲノムに比べて圧倒的に大量に入れられている。温度が一旦、50℃まで下げられると、大量のプライマー1は一斉にゲノムの森の中に散らばり、自分とマッチングする相補的な配列を探す。もし、対合が成立すれば、プライマー1は、そこに落ち着く。

長い一本鎖DNAに、短いプライマーがちょこんと結合した場所。ポリメラーゼは、このような場所をきっかけにして初めてDNAの合成反応を開始できる。つまり、プライマーはその名のとおり、ポリメラーゼ反応を引き起こす（プライミング）ための土台として働き、ポリメラーゼは、プライマーへ新たな文字をつなげていく。文字はプライマーが対合するアンチセンス鎖の文字を鋳型として決定されていく。

ゲノムの森は深く、類似する配列はおそらく各所に複数あるだろうから、プライマー1はいろいろな場所に結合しうるはずである。対合が完全にマッチしないところにも不完全ながら結合するかもしれない。だからポリメラーゼによる合成は複数の場所で起こる。しかし、重要なことは、プライマー1は、アンチセンス鎖上の、千文字部分の左端に必ずや対合するだろうということだ。

実は、私たちは、もう一つ、プライマー2、と呼ばれるものを用意している。これは千文字配列を挟んで、プライマー1が結合した部分のちょうど反対側の端の配列に対合するような十文字からなっている。

ここで重要となるのは、プライマー2は、先ほどとは逆に、センス鎖に対合するように配列が設計されているということだ。センス鎖のこの部分に結合したプライマー2は、ここでも、ポリメラーゼ反応のきっかけを作り、新しいDNA鎖の合成を引き起こす。ただし、このプライマーはセンス鎖に対合しているから、合成の方向は、アンチセンス鎖と対合している先ほどのプライマー1とは逆方向となる。

　つまり、プライマー1から開始される合成反応と、プライマー2から開始される合成反応とは、千文字の配列を互いに挟み込むように向かい合いながらも、それぞれ別の鎖を合

PCRの原理

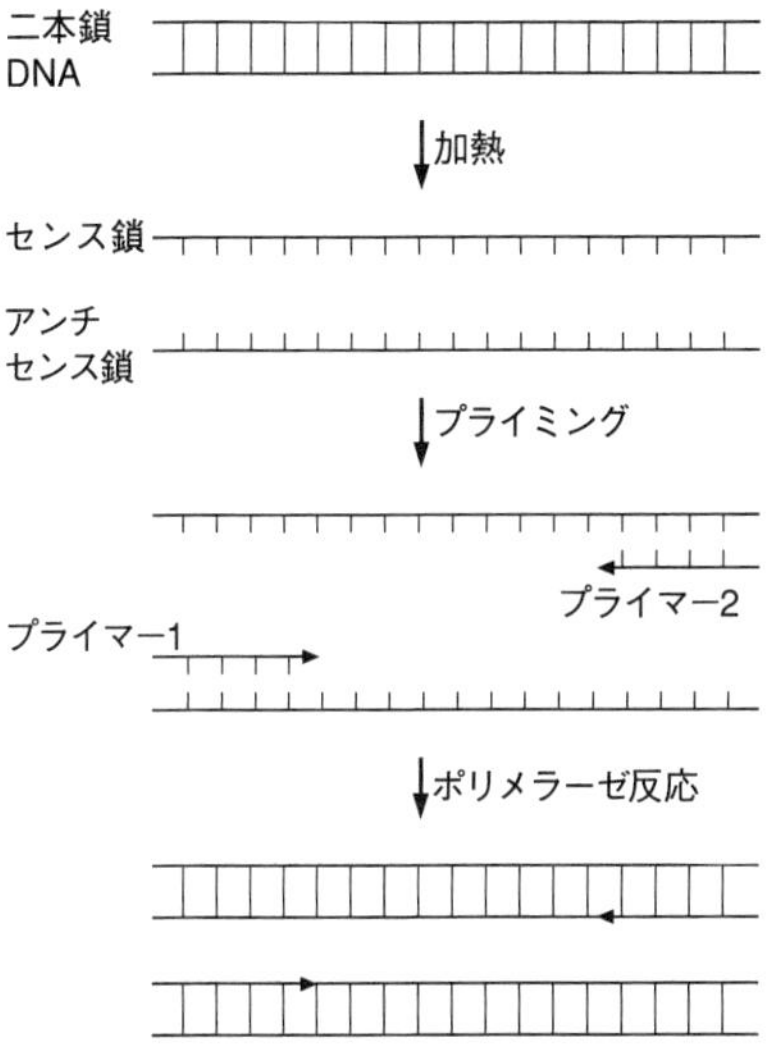

※第1回目のポリメラーゼ反応では、プライマー1および2が遠方に伸びるが、第2回目以降のサイクルではプライマー1と2にはさまれたDNA部分だけが増幅される。

成するように仕組まれている。その結果、出来上がるのは千文字配列を含む新しい二本鎖DNAなのである。

しかも、このサイクルは理論上、無限に繰り返しうる。その都度、千文字配列は倍増する。たとえ、プライマー1と2がゲノムの他の場所で働いたとしても、それは別々に起こる些細なノイズでしかない。プライマー1とプライマー2が協調して働く場所は、この千文字配列を挟んだ部分でしかありえないから、この場所だけが連鎖反応的に増幅される。その結果、髪の毛一本から出発した極微量のゲノムDNAサンプルから、数時間の後には、PCRマシンの小さな反応チューブの内部で、特定の千文字配列が十億倍以上に増大されることになる。まったく見事というほかはないアイデアだった。

当初、「誰が」この革命的な新技術「PCR」を発明したのか、ということに関しては、シータス社の研究チームが開発した、ということ以外何もわからなかった。やがて西海岸から伝わってきたのが「ある風変わりな天才がデートの途中でひらめいたらしい」という噂だった。しかも、その天才はサーファーだというのである。

第5章　サーファー・ゲッツ・ノーベルプライズ

死んだ鳥症候群

「研究者っていいですよね。自分の好きなことをしてお金がもらえるんだから」

こんなふうにいわれることがある。私はあいまいに笑って「まあ、そうですね」と答える。ことがそれほど単純でないことはどんな世界も同じである。

米国で研究を始めた私の研究室内でのポジションはポスドクと呼ばれるものだった。ポスト・ドクトラル・フェロー。博士研究員と訳されるこの職は、教育課程を終えた研究者にとってひとり立ちへのトレーニング期間である。

理科系の研究者は、大学の四年間を卒業すると大学院へ進学する。日本でも米国でも修士課程二年、博士課程三年の計五年が標準である。ここでひとつのテーマに沿った研究プロジェクトに携わり、何報かの研究論文を仕上げる。多くの場合、自分が所属した研究室の教授がテーマを授ける。そして博士の学位を取得する。私たちにとって、博士号は研究者としてスタートするための運転免許証に過ぎない。

博士号とかけて足の裏についた米粒と解く
そのこころはとらないとけったくそ悪いが、とっても喰えない

そんな戯れ言葉を先輩から聞かされていた。実際、思うに任せぬ実験に日夜明け暮れ、ようやく博士号にたどり着いたはよいが、先の視界はあまり開けていないのが普通だ。研究者としての就職口はごく限られている。幸運ならば大学助手のポジションにありつける。ようやく好きなことをしてお金をもらえるようになる、と思ったら大きな誤りだ。お金をもらえるようになるのは事実だが、それ以外はまったく違う。

助手に採用されるということはアカデミアの塔を昇るはしごに足をかけることであると同時に、ヒエラルキーに取り込まれるということでもある。アカデミアは外からは輝ける塔に見えるかもしれないが、実際は暗く隠微なたこつぼ以外のなにものでもない。講座制

と呼ばれるこの構造の内部には前近代的な階層が温存され、教授以外はすべてが使用人だ。助手—講師—助教授と、人格を明け渡し、自らを虚しくして教授につかえ、その間、はしごを一段でも踏み外さぬことだけに汲々とする。雑巾がけ、かばん持ち。あらゆる雑役とハラスメントに耐え、耐え切った者だけがたこつぼの、一番奥に重ねられた座布団の上に座ることができる。古い大学の教授室はどこも似たような、死んだ鳥のにおいがする。

　死んだ鳥症候群という言葉がある。彼は大空を悠然と飛んでいる。功成り名を遂げた大教授。優雅な翼は気流の流れを力強く打って、さらに空の高みを目指しているようだ。人々は彼を尊敬のまなざしで眺める。

　死んだ鳥症候群。私たち研究者の間で昔からいい伝えられているある種の致死的な病の名称である。

　私たちは輝くような希望と溢れるような全能感に満たされてスタートを切る。見るもの聞くものすべてが鋭い興味を掻きたて、一つの結果が次の疑問を呼び覚ます。私たちは世界の誰よりも実験の結果を早く知りたいがため、幾晩でも寝ずに仕事をすることをまったく厭うことがない。経験を積めば積むほど仕事に長けてくる。何をどうすればうまくことが運ぶのかがわかるようになり、どこに力を入れればよいのか、どのように優先順位をつければよいのかが見えてくる。するとますます仕事が能率よく進むようになる。何をやってもそつなくこなすことができる。そこまではよいのだ。

しかしやがて、最も長けてくるのは、いかに仕事を精力的に行っているかを世間に示すすべてである。仕事は円熟期を迎える。皆が賞賛を惜しまない。鳥は実に優雅に羽ばたいているように見える。しかしそのとき、鳥はすでに死んでいるのだ。鳥の中で情熱はすっかり燃え尽きているのである。

ポスドクという名の傭兵

日本の大学の研究室に身を置くと、さまざまなことがわかってくる。同じ場所に長く留まれば必然的に物々は煮詰まり、事々は倦（う）む。研究は組織の中で行われているように見えるけれど、結局、研究とはきわめて個人的な営みなのだ。だからこそ何をもってよしとするかは本人の納得の仕方による。私は博士号をとったあと米国で職を探すことにした。

米国のシステムは日本の大学を呪縛する講座制とはかなり異なる。教授、助教授（または准教授）、講師などの職階はある。しかし職階間に、支配―被支配関係はない。それぞれが独立した研究者であり、肩書きは純粋に研究キャリアの差である。独立した研究者とは、自らの研究費（グラント）を自分で稼げる研究者ということだ。研究者の生命線はまさにこのグラントである。それゆえに彼らの最優先事項は、国の研究予算あるいは民間の財団や寄付などを確保することであり、それに狂奔する。グラントがすべての力の源泉であり、研究資金のみならず自分のサラリーもここから得る。

大学と研究者の関係は、端的にいって貸しビルとテナントの関係となる。大学は研究者の稼いだグラントから一定の割合を吸い上げる。これをもって研究スペースと光熱通信、メンテナンス、セキュリティなどのインフラサービス、そして大学のブランドが提供される。

私は後に、ニューヨークからボストンのハーバード大学医学部の研究室に移ったが、ここではこのシステムが徹底していた。研究スペースの割り当ては完全にグラントの額と比例していた。巨額のグラントをもつ研究者には潤沢な面積が、駆け出しの研究者には窓のない小部屋が与えられる。万一、グラントの更新に失敗すれば、つまりショバ代が滞れば、たちまち退去である。ハーバードに入りたい研究者は山のようにいるのだ。私が在籍していた数年の間にも激しい新陳代謝が繰り返された。ちょっと見かけないなと思ったら彼の実験室はがらんとした更地となり、まもなく新しい研究チームが意気揚々と乗り込んできた。

私たちポスドクは、ある意味で過酷な、別の意味では気楽な稼業である。新陳代謝を横目で見ながら研究だけにいそしんでいればよい。

ポスドクは、独立研究者がグラントで雇いいれる傭兵だ。米国の研究室は基本的にこの単位、ボスとポスドク、で成り立っている。ポスドクは即戦力の人員として、研究戦争の最前線に立つ。鵜匠と鵜の関係といってもよい。ボスとの関係は、純粋に期限付きの雇用契約だけである。

ポスドクの賃金は安い。私が雇われていた頃で二万数千ドル程度であった（もちろん年俸である）。今でもそれほど変わっていないはずだ。ニューヨークやボストンといった都会にいれば、まずレント（家賃）だけで給与の半分は飛ぶ。

それでもポスドクが日々ボスのために研究に邁進できるのは、次に自分がボスになる日を夢見てのことである。ポスドクの数年間に重要な仕事をなして自らの力量を示すことができれば（成果は論文として表れ、筆頭著者にはポスドク、最後の責任著者にはボスの名前が記される）、それはそのまま独立した研究者へのプロモーションの材料となる。科学専門誌の巻末には必ずおびただしい数のポスドクの求人広告がある。そしておびただしい数の応募があるはずだ。つまりここに存在しているのは、少なくともたこつぼではなく流動性のある何か、あるいは風なのだ。

ラボ・テクニシャン、スティーブ

私も何通かの手紙を書いてポスドク職に応募した。私は単純に、京都盆地の湿度から逃れて、ニューヨークの街路を吹き抜ける乾いた風を感じてみたかったのだろう。運よくロックフェラー大学の研究室に採用された私に対して、施設のあれこれや実験手技の手ほどきをしてくれたのはラボ・テクニシャンのスティーブ・ラフォージだった。

博士号を取ったばかりの即戦力傭兵とはいえ、新しい研究環境に突然ほうり込まれれば右も左もわからないことだらけである。スティーブは年のころにして私より少し上、大柄で、黒ぶちのメガネをかけた端正でもの静かな——ちょうどクラーク・ケントのような——男だった。

ラボ・テクニシャンとは、日本語にあえて訳せば研究室技術員である。研究社会の身分制度からいえば、ラボ・テクニシャンは完全な傍系にある。ポスドクのようにいつの日かを夢見ることも、研究キャリアを目指すこともない。ただただ研究室のルーチン作業を担当する。ラボ・テクニシャンはずっとラボ・テクニシャンのままである。

スティーブは実にさまざまなことに精通しており、実に親切にその一つ一つを私に教えてくれた。そしてその精通ぶりは、学校に長年勤務してきた用務員のおじさんが学校のあれこれに経験上通じているのとは違って、プロフェッショナルとして研究のあり方を知っているのだった。反応のこのステップにはこのような意味があり、それゆえにこのメーカーの薄手の試験管を使うのが適当なのだ。DNAに、塩とアルコールを加えると沈殿するのは、まず塩がDNAの酸性電荷を中和し、その後アルコールによって疎水的な環境が作られるからだが、その寄与率の程度を知っているかい。この本のこのページにちゃんと一覧表があるんだ——。私は舌を巻いた。

スティーブは、しかし、やむなくテクニシャンをしているのではなく、進んでテクニシャンをしているのだった。彼がもしアカデミズムの階段を上ろうと思えば、欠けるものは何一つなかった。東海岸の有名大学を卒業し、製薬メーカーの研究所に勤めたあと、ロックフェラー大学のこの職に応募して採用された。そしてずっとここに留まっている。

研究室のボスは、スティーブの働きにいつも敬意を表して、彼が関与したプロジェクトの論文には必ずスティーブ・ラフォージの名前を共著者に入れていた。あるときボスは私にこんなふうにいった。

「スティーブはとてつもなく優秀だよ。今の研究を進めれば博士号も取れるしその先もある。だからつねづねそうしろと激励しているんだ。でも彼はいいというんだよ」

スティーブと私は不思議とうまが合った。おそらく、他人と一定の距離を保つ彼のあり方と、言語の障壁からおのずと言葉すくなにならざるを得ない私のあり方が一致したのだろう。

スティーブはいつも昼過ぎにひょっこり研究室に現れた。手には近所のスタンドで買ってきたコカコーラとパストラミ・サンドイッチを持っていた。昼食後、おもむろに私たちは実験を開始した。

スティーブは私に要点とコツを教えるといつの間にか姿を消した。その後、私はひとり実験を続けた。ポスドクは（特に英語であれこれ言い訳できないものは）身体で働きぶりを示すしかない。完全な夜型で仕事をする私を、ラボのメンバーは「シンイチは日本時間で働いている」と笑っていた。しかし私は日本にいるときから夜型だった。

あるとき、約束の時間を過ぎてもスティーブが現れなかった。その日は、彼が培養シャーレにバクテリオファージを撒くときの〝呼吸（ナック）〟を見せてくれるというので私はずっと彼を待っていた。しかしスティーブはこない。彼を探していると誰かが私に教えてくれた。

「スティーブ？　ああ、談話室じゃない？」。

ロックフェラー大学の一階にはバーカウンターを備えたサロン風の部屋があって、毎週金曜日の夕方にはフリードリンクが供され、大学のメンバーが三々五々集って語らえるようになっていた。もちろん今日は金曜日ではない。怪訝（けげん）に思いながらも中庭の側からその部屋に近づいて中を見ると果たしてそこにスティーブはいた。彼はその部屋にあるピアノを一心不乱に弾いていた。音は外にはわずかしか聴こえてこない。私は黙ってその場を離れた。

クラーク・ケントに別の顔があることをその後、私は知った。むしろそれが彼のほんとうの顔だった。彼は午後の限られた時間ロックフェラー大学で働いた後、ヴィレッジに行く。「スティーブはskaだよ。彼のグループ、知ってるかい。トースターズっていうんだ」。私はそれまでスカ・ビートのことも、グリニッジ・ヴィレッジのことも、トースターズの有名さもまったく知らなかった。

私たちは、その後もロックフェラー大学の、イーストリバーを見下ろす古びた研究室の片隅で、黙々と実験をこなした。スティーブは時折「昨日は明け方までやってたから眠くって」とか「ビルの裏でマグ（羽交い絞めされて金を奪われること）されそうになった」などとつぶやくことがあったが、私はあえて彼に彼の音楽について問うことはなかった。私には問うべきことがほとんど思いつかなかったし、それがどういう形態であれ、研究がきわめて個人的な営みであることを私たちはお互いに尊重しあっていたのだと思う。

のちに、研究室のボスが、ニューヨークのロックフェラー大学からボストンのハーバード大学医学部に移籍することになり、私たちポスドクは研究室の備品やサンプルとほぼ同じ扱いで一挙にボストンに輸送されることになった。雇われている以上そこに選択の余地はなかった。ボスはスティーブにも来ないかといった。ニューヨークを離れることは考えられない、と彼は答えた。彼は手際よくロックフェラー大学の別の研究室にラボ・テクニシャンの職を見つけた。彼ほどの技量があればどこでも歓迎される。もちろん彼は勤務時間について自分の条件を提示したはずである。

何年か前、それは私がロックフェラー大学に在籍していた時期からするとすでに十年以上が過ぎていた頃のことだが、大学を再訪し、受付で電話番号帳を調べる機会があった。そこにはちゃんとスティーブ・ラフォージの名前があった。私は懐かしくなってスティーブの所属するラボを覗いてみた。案の定、彼はいなかった。時刻はまだ午前中だった。

マリスの伝説

自由であるためのスタイルは他にもある。ラボ・テクニシャンではなく、ポスドクを渡り歩くのだ。幸いなことに米国には大きなポスドクの市場があり、常に流動している。えり好みさえしなければ、ポスドク職をつないでいくことはまさに〝自分の好きなことをしてお金をもらう〟ための、とても素敵なあり方になる。グラントの獲得に神経をすり減らすこともなく、研究室内のいざこざに振り回されることもない。研究のテーマこそボスの意向に沿う必要があるけれど、経験をつんだポスドクには自分の研究方法がある。テーマの中に自分のための新しいテーマを作り出すことなど実に簡単なことなのだ。

とはいえ、ボスになること、つまり研究室を自ら運営しようなどということが、その実、限りなく分断された時間と消耗の繰り返しであり、死んだ鳥への危うい接近でしかないことに気づくこと、そしてそれが大いなる幻想だと見極めて一定の諦観と引き換えることはきわめて困難な割り切りであり、それゆえに純粋に個人的な納得のあり方なのでもある。

キャリー・B・マリスは最初から、研究者を縛るこの幻想から自由でありえた、言葉の本当の意味で自由な人だった。彼はポスドクを渡り歩きながら、あるときはファーストフードの店員であったり、小説を書いたりしたこともあった。私は数回にわたって、マリスに彼のカリフォルニアの自宅で話を聞き、のちに、彼の自伝"Dancing Naked in the Mind Field"を翻訳する幸運を得た。

彼へのインタビューの中で、「あなたを形容する言葉として、エキセントリック、奇行、不遜などいろいろなものがあるのはよくご存知だと思いますが、自身を形容するのに最もぴったりとした言葉があるとすればなんでしょう?」と問うた私に対し、マリスは即座にこう語った。

「それはオネストだね。私はオネスト・サイエンティストだよ」

ＰＣＲの発明者として、マリスの名前があらわれたとき、彼を取り巻くさまざまな噂が伴われていた。

マリスはサーファーである。マリスはＬＳＤをやっている。マリスはあらゆる職場で女性問題を起こし辞めている。マリスは講演会で好き勝手な話をして降壇させられた。マリスはＰＣＲ利権からはずされたのでいまだにシータス社を恨んでいる。マリスは結婚と離婚を繰り返している。マリスはエイズの原因がエイズウイルスでないと主張している……。

これらの噂は彼の口から発せられたことを源とし、それらはおおむねそのとおりだった。つまり彼は悪びれることなく、正直に自分のことを語っているのだ。

キャリー・マリス
(© Kazuo Kikuchi)

そんなマリス最高の「伝説」は、ドライブデートの最中にＰＣＲをひらめいた、ということにつきる。科学界随一の一発屋であるマリスが、ノーベル賞を受賞するに至ったアイデアをひらめき一つで得た瞬間である。彼はそのときのことをありありと覚えている。

彼は、生命の本質が自己複製能にあることを知っていた。DNAが相補的な二本の鎖から成り立っていること、それが互いに他を鋳型として複製されることも知っていた。プライマーと呼ばれる短いDNAがその複製を開始すること、そしてプライマーはたやすく人工合成できることも知っていた。しかし、これらすべてのことは当時の科学者なら誰でも知っていることだった。しかし、そのほんの先に、アンタレスの残像を見たのはマリスだけだった。

一九八三年五月、トチノキの匂いがあたりを濃密に染める夜、恋人のジェニファーを助手席に乗せたマリスはカリフォルニアの森林地帯を軽快に飛ばしていた。

ピンクと白色の花は車のヘッドライトに照らされると冷ややかに見えた。外の空気には、その花から出るしっとりとした油の香りがたくさん含まれていた。まさにその夜は、トチノキが似合う夜だった。でもそれ以上のことが起こりかけていた夜でもあったのだ。

私の銀色のホンダ・シビックは、山に向かってぐんぐん進んでいた。ハンドルを握る手が、路面の様子やカーブの感覚を楽しんでいた。私の頭の中には研究室の仕事がよみがえっていた。DNAの鎖がくるくるとねじれたり、たゆたったりしていた。鮮やかなブルーとピンクに彩られた分子の電子的なイメージが、私の目と山に続く路面の中間に浮かんでいた。
ヘッドライトは木々を照らしていたが、私の目はなかばDNAがほどかれていく様子を見ていた。こういうふうな夢想に時をゆだねるのが私の好きなやり方だった。

（中略）

夜空に輝いていたアンタレスは、数時間前に山並みの向こうに沈んでいた。今宵、私は心の中であのアンタレスのようにひときわ輝く炎を見つめていた。（"Dancing Naked in the Mind Field" 邦訳『マリス博士の奇想天外な人生』ハヤカワ文庫、二〇〇四）

マリスはフロントガラスを見つめながら、どのようにすれば三十億文字もあるゲノムDNA配列の中から特定の配列を検索しうるかを考えていた。特定の配列を持つ短いDNA（オリゴヌクレオチド、プライマーとも呼ぶ）を合成し、それをゲノムと混ぜ合わせ、プライマーが結合した場所から相補的なDNAを合成する。彼は最初、この反応を「繰り返せば」、多コピーの相補的DNAが作り出されると考えた。
しかしプライマーが結合しうる場所は程度の差によって複数ある。少なくとも千ヵ所はあるだろう。不完全な結合場所からは目的としないDNAが複製される。つまりこの方法ではシグナルに対するノイズの比率が大きくなりすぎる。なんとか精度を上げることはできないものか。

まったく突然、どうすればよいかがひらめいた。ひとつのオリゴヌクレオチドに結合する所を、三〇億ヌクレオチド中に一〇〇〇ヵ所特定できたとしよう。ならば、その上でもうひとつのオリゴヌクレオチドを使って、もう一度選抜をかければよいのだ。一番目のオリゴヌクレオチドが結合する場所の下流に、二番目のオリゴヌクレオチドが結合するように設計しておけばよいのだ。一番目のオリゴヌクレオチドがまず一〇〇〇ヵ所の候補地を選び出す。その中から二番目のオリゴヌクレオチドが正解を一つだけ選び出す。そこでDNAが自分自身をコピーする能力を利用してやればよい。

(中略)

「やった!」私は叫んでアクセルを離した。車は下りカーブの路肩に乗り上げて停止した。そばの崖から大きなトチノキが覆いかぶさって、ジェニファーが座っている助手席の窓に葉をこすりつけていた。(中略)彼女はまどろみの中にいて、かすかに身体を動かしていた。(中略)ジェニファーが、早く行きましょうよ、と呟いていた。私は言った。すごいことを思いついたんだ。彼女は欠伸(あくび)をしてから窓に頭をもたれなおして、再び眠りにおちた。

私たちは一二八号線の七五キロ・ポストの地点に止まっていた。同時に、来るべきPCR時代の夜明けの、まさにほんの直前に位置していたのだった。(同前)

第6章　ダークサイド・オブ・DNA

同業者による論文審査

ある発見が大発見なのか中発見なのか小発見なのか、はたまた無意味なものなのかは一体どのようにして決まるのだろうか。

それは歴史が決めるのだ、と見得を切ることもできるだろう。しかしたった今、無名の新人研究者が提出してきた難解な数式がならんだ論文の価値を即座に判定して、次号の『ネイチャー』誌に掲載するか否かを決めなければならないとしたら。判断に迷った挙句、もしこの論文を掲載不可として返却すれば、新人は同じ論文を今度はライバル誌『サイエンス』に持ち込むかもしれない。そして同誌がこれを掲載し、のちに、ほんとうに大発見であることが明らかになれば、『サイエンス』誌は先見の明があったとその〝誌価〟を洛陽ならず全世界に高からしめるだろう。そしてその時には押しも押されもせぬ大学者となったかつての新人はかならずや会う人ごとにこういうはずだ。「オレの大発見を最初、かの『ネイチャー』は認めなかったんだ」と。

フェルマーの最終定理を証明したアンドリュー・ワイルズの業績は、メディアがそのように報道したことによって初めて一般の人々に大発見であることが認知された。それはあくまでも二次情報による二次的な価値判断でしかない。ワイルズの発表を聞いて当時その意味が理解できた人間はほとんどいなかったのであり、現在でもほとんどいないのである。

このような事態は今や細分化されたすべての専門領域で起こりうる。そして問題なのは、ある研究成果の価値を判定できるのはプライド高き本人を除くと、ごく少数の同業者でしかないということである。

そこで、『ネイチャー』や『サイエンス』など著名な科学誌のみならず、論文発表の場となっているほとんどすべての専門誌では、ピア・レビュー (peer review) という方式で掲載論文採択の決定を行っている。ピアとは、同業者ということであり、ある専門分野の論文が投稿されてくると専門誌の編集委員会は、その分野の専門家、すなわちピアに論文の審査を依頼する。ピアは論文の価値を、その新規性、実験方法、推論の妥当性などについて判定し、編集委員会に採点結果を返す。委員会はこの判定に基づいて、論文掲載の可否を決定する。根回しや情実が働かないよう、誰がピアとなるかは編集委員会の秘密事項で、論文の著者には知らされない。

研究者にとって自分の論文が望みどおりの専門誌に採択されるかどうかはまさに死活問題である。発見の優先権はもちろん、昇進やグラント調達などすべてが発表論文、すなわちピア・レビューという公正な手続きを経て専門誌に掲載された論文の質と量で（多くの場合、量だけで）決まるからである。

だから研究者が「業績」といえば、それは通常、刊行された論文数ということになる。発見・発明の権利に関していえば、いくら、私も同じことを考えていた、それはもともと俺のアイデアだ、と主張してもダメなのである。研究業績のクレジット（先取権）は、一番先に論文発表した者にのみ与えられる。時にそれはほんの数週間、あるいは数日違うだけのことさえある。

匿名のピア・レビュー法は、細分化されすぎた専門研究者の仕事を相互に、そしてできるだけ公正に判定する唯一の有効な方法ではある。しかし、同業者が同業者を判定するこの方法はそれゆえに不可避的な問題を孕(はら)むことにもなる。それは「一番最初にそれを発見したのは誰か」が常に競われる研究の現場にあって、つまり二番手には居場所も栄誉も与えられない状況下にあって、狭い専門領域内の同業者は常に競争相手でもあるという事実である。

防ぎきれない誘惑

あなたがピア・レビューアーに選ばれ（これは専門誌の編集委員会によってあなたがこの分野の第一人者と認定されたことになるゆえに、あなたは喜んでこれに応じることになる）、ある論文の審査を任されたとしよう。

送られてきた論文を見て、あなたは驚愕する。研究分野が同じでいつも最も意識し、かつ警戒しているF教授のグループの論文だった。それは、あなたがまさに今、ひそかに進めている仕事を一歩先んじてまとめあげたもので、結果も見事というほかはない完成度に仕上がっていた。なぜそれがわかるかといえば、あなたの予想していた結論と寸分たがわずまったく同じなのだから。しかもそこにはあなたの研究チームがまだ解明できていない重要なデータも記されているではないか。

このような状況下におかれたら天使でさえも堕ちるかもしれない。あなたは、F教授の論文の細部について、ああでもない、こうでもないと難癖をつけ、論文採択のためには、図表の改良や追加実験の必要性があることを指摘した回答文を編集部に戻し、できるだけ時間を稼ごうとする。そして一方で、自分の部下たちに必要なデータと緊急命令を与えて自らの研究の完成を急がせる。これを別の専門誌に提出すれば、うまくすればF教授を出し抜くことができるかもしれない。最悪の場合でも、「ほぼ同時に独立して」同じ結論に到達したと装うことができるだろう……。

こんなことはもちろん端的にルール違反であり、データの剽窃（ひょうせつ）である。しかし、ピア・レビューが同業者による同業者の審査システムである以上、まったくの中立であることや、レビュー中に知りえた情報の影響を完全に排除することは不可能である。そして過去、さまざまな形で顕在化するか潜行するかを問わず、ピア・レビューに付随する不公正が横行してきたことも事実である。

これをできるだけ防止するために、ピア・レビューアーを複数任命したり（こうすることによって論文執筆者と利害関係者が直接対立しても、それを希釈することが可能となる。多くの場合、ピア・レビューアーはひとつの論文に対して三名程度設置され、編集委員会はその意見分布を見ることができる）、論文執筆者が「直接の競争相手のだれそれだけはピア・レビューアーに指名しないでほしい」との要望を述べられる（それが編集委員会に受け入れられるかどうかは別として）などの措置が取られている。もちろんこれでも十分ではない。編集委員会自体が同業者の互選で構成されることが多いので、この中にもし利害関係者がいればさまざまなバイアスが生じる余地がある。

読者の中には、ピア・レビューアーにとっても、論文執筆者が誰かわからないようにしてレビューをさせれば少しは公正が保てると思う方がいるかもしれない。たとえば、大学の入試採点では、採点官に受験生の氏名がわからないような処置が取られている。ところが論文ほど研究者の個性が現れるものもないのである。たとえ著者名の部分が墨塗りされていたとしても、用語の使い方や主張、引用文献リストなどからすぐに当人が割れてしまうのだ。なんといっても世間が狭いのが研究者なのだから。

二十世紀最大の発見にまつわる疑惑

ここに非常に微妙な問題を含んだケーススタディがある。そしてこれは実に、二十世紀最大の発見にまつわる疑惑なのである。ワトソンとクリックによるDNAの二重ラセン構造の発見がそれだ。

私は先に、生命の定義として、それは「自己複製しうるもの」とのテーゼを記した。その基盤をなすものは、互いに他を相補的に写し取っているDNAの二重ラセン構造である。DNAが細胞から細胞へ、あるいは親から子へ遺伝情報を運ぶ物質的本体であることを示したのはオズワルド・エイブリーだった。そして、DNAの構成要素である四種のヌクレオチドの組成を調べると、常に、A（アデニン）の含量とT（チミン）の含量とが等しく、他方、G（グアニン）の含量とC（シトシン）の含量とが等しいことがわかっていた（シャルガフの法則）。しかしこの事実が示唆することの意味を誰もが気づかないままでいた。ジェームズ・ワトソンとフランシス・クリックは、散らばっていたパズルのピースを見事に組み立てて、DNAの構造を言明した。それはわずか千語からなるごく短い論文として、『ネイチャー』の一九五三年四月二十五日号に掲載された。

そこには糖とリン酸からなる二本の鎖がラセン状に絡まりあい、その内部にAとT、GとCが規則正しく対合しているモデル図が示されていた。シャルガフの法則がなぜ成立するのかを余すところなく明らかにし、同時に、互いに〝相補的〟関係にある二本のラセンは自己複製のメカニズムをも暗示していた。皆がそのことに目を奪われた。しかしこの図の中に、DNAの二重ラセン構造を解く鍵になったきわめて重要な知見がごくさりげない形で付記されていることに気づいた人はそれほど多くなかった。

ラセン状に絡まりあう二つの鎖のそばに小さな矢印が振ってあった。その矢印は互いに逆の方向を示していた。そうなのである。DNAの鎖には化学的に方向性があり、頭と尻尾がある。二重ラセンを構成する二つの鎖は同じ方向を向いているのではない。互いに逆

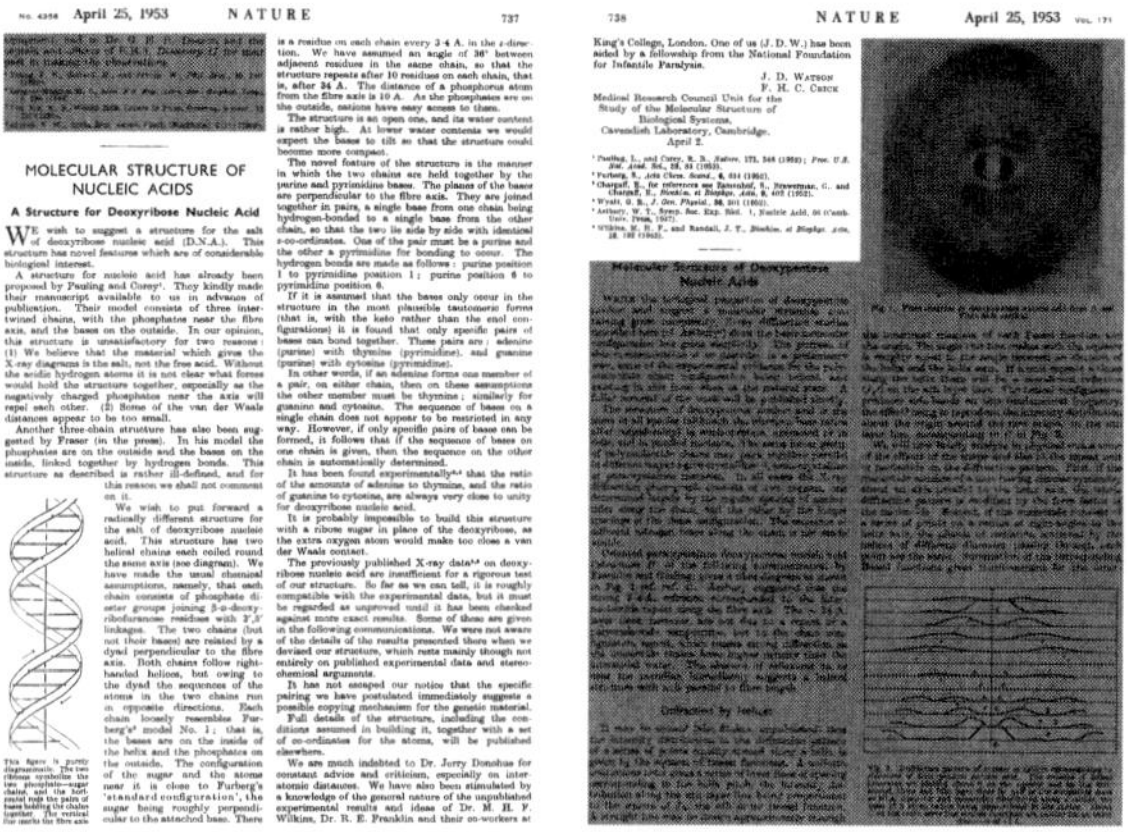

『ネイチャー』1953年4月25日号に掲載されたワトソンとクリックの論文

方向を向いて絡まっているのである。シックスナイン。このとき初めてその内部にヌクレオチドの対合を、ちょうどらせん階段のステップのように少しずつねじれながらも、等間隔・等距離に抱え込むことが可能となる構造をとりうるのである。

さらにいえば化学的方向性が互いに逆走行であるがゆえに、短いプライマーに挟まれたDNA断片は複製のたびごとに二倍、四倍と増幅できることになる。マリスの発見もここにその基礎を穿（うが）っているのである。

では、何がワトソンとクリックをして、DNAラセンの逆平行（アンチ・パラレル）構造に目を開かせたのだろうか。彼らはある重要な手がかりをひそかに「透かし見（ピア）」

していたのである。

ロザリンド・フランクリンのX線解析

私の手には今、一枚の写真がある。ロザリンド・フランクリンを写したものだ。そこには地味なブラウスを着てひかえめにたたずむ彼女がいる。モノクロ写真なので彼女の髪の毛の正確な色はわからないが、おそらく黒に近いブラウンであろうか、ライトを浴びて美しく輝いている。彼女の眼はどこか遠くに投げかけられている。あいまいな、微笑にも見える表情にはしかし深い憂いが宿されている。

フランクリンは一九二〇年、イギリスの裕福なユダヤ人家系に生を受けた。厳格な両親は彼女を九歳から寄宿学校に入れ、与えうる限りの最高の教育を受けさせた。聡明な彼女は早くから理数系の学科に興味を持ち、大学はケンブリッジに難なく進学した。

当時、ケンブリッジは女子の入学とユダヤ人の入学を認めてしばらくたった頃だったが、さまざまな因習が男子学生と女子学生とを隔てていた。フランクリンはそのようなことに拘泥することなく自分の勉強を進めていた。成績は常にトップクラスだった。彼女はそのまま大学院に進学し、物理化学でケンブリッジの博士号を取得した。

彼女の専門分野はX線結晶学だった。未知物質の結晶にX線を照射する。すると波長の短いX線は物質の分子構造に応じて散乱する。その散乱パターンを感光紙に記録する。一見するとプラネタリウムの天井に星がばら撒かれたような映像となる。これを特別な数学によって解析すると、散乱を引き起こした物質の分子構造についての手がかりを得ることが可能となる。フランクリンがケンブリッジで過ごした二十世紀前半は、X線結晶学が立ち上がってくるまさにその黎明期であった。

フランスでの留学生活の後、第二次世界大戦が明けてようやく平静を取り戻しつつあったロンドン大学キングズカレッジに、フランクリンは新しい研究職のポストを得た。一九五〇年、彼女が三十歳になった秋のことだった。幸運と、そして不運のすべてが、続く二十数ヵ月のうちにフランクリンの上に照射され、それはあらゆる方向に散乱した。

ロザリンド・フランクリン
(Brenda Maddox, *Rosalind Franklin*, 2002より)

ロンドンのキングズカレッジにあって彼女に任された研究テーマは、X線によるDNA結晶の解析だった。時はあたかもエイブリーによる発見、つまりDNAこそが遺伝物質であるということがようやく広く認められるようになっていた。そうなれば次のターゲットはおのずとDNA自体の構造を解くということになる。皆がこの聖杯を求めてにわかに活動を開始した。ある者はおおっぴらに、また別の者はひそやかに。

当時、まだ二十代前半だったアメリカ人、ジェームズ・ワトソンは一攫千金を夢見て、フランクリンの出身校であるケンブリッジ大学に到着していた。ワトソンはそこでクリックに出会い意気投合した。とはいえ、聖杯に関する情報はあまりに限られていた。ヌクレオチドの組成に関するシャルガフの法則が唯一のヒントだった。

帰納と演繹

ロザリンド・フランクリンはしかし、このような喧騒とはまったく無縁の地点にいた。彼女はただただ物質の構造をX線によって解明するという自分の手法に合致した研究ができる職場に出会えたことを幸いとして、地道な取り組みを開始したにすぎない。

後年、明らかにされた手記や私信にも、彼女がDNAに対してその生物学的重要性を認めたがゆえに研究に邁進したというような記述はどこにも見当たらない。DNAは彼女にとって材料以外の何ものでもなかった。そしてX線結晶学は、まさに地道な営みの繰り返してでしか進み得ない仕事なのである。

まず試料としてできるだけ純度の高いDNAが必要となる。次に、それを結晶化させなければならない。結晶化にセオリーはない。それは二十一世紀の現在でも同じである。試行錯誤を繰り返し、結晶化条件を探る。ある意味でX線結晶学成否の鍵はすべてここにある。X線を照射し、データとして十分な散乱パターンを得るためには、大型でしかも美しい結晶を作り出す必要があるのだ。散乱パターンを解析する数学的な作業も並大抵のことではない。今日、この部分のきわめて複雑で困難な計算はコンピュータプログラムが代行してくれるようになったが、フランクリンはこれをすべて手計算でこなしていたのである。

彼女はただ「帰納的」にDNAの構造を解明することだけを目指していた。ここにはあらゆる意味で野心も気負いもなかった。ちょうどクロスワードか今ならさしずめ数独パズルを解くように、ひとマスひとマスを緻密につぶしていく。その果てに全体像としておのずと立ち上がってくるものとしてDNAの構造がある。ジャンプもひらめきもセレンディピティも必要ない。ただひたすら個々のデータと観察事実だけを積み上げていく。禁欲的なまでにモデルや図式化を遠ざける。帰納を徹底して貫いた。実際、彼女にとってそれ以外の解法は存在しないのだから。

フランクリンは着実に仕事を進めていった。着手してから一年ほどの間に、DNAには水分含量の差によって「A型」「B型」二種類の形態が存在することを明らかにし、それを区別して結晶化する技法を編み出していた。さらにそれぞれの微小なDNA結晶に正確にX線を照射し、美しい散乱パターンの写真撮影にも成功していたのである。彼女はそれを未発表データとして誰にも見せず数学的解析をひとり進めていた。フランクリンの帰納法は、彼女自身は気がつかなかったが、聖杯のすぐそばにまで迫っていたのだ。

一方、ワトソンとクリックはといえば、彼らは典型的な演繹的アプローチによってDNA構造に迫ろうとしていた。それは一種の直感、あるいは特殊なひらめきによって、きっとこうなっているはずだ、と先に図式を考えて正解に近づこうとする思考だ。結論を急ぐあまり、ともすれば自説に不利なデータは無視する傾向にある。しかし一方で大胆な飛躍は旧弊を打破し、新しい世界を拓くこともあるのだ。

ワトソンとクリックは、自分たちで実験を行い自らデータを収集しようとはしなかった。そのかわり、ボール紙や針金を組み合わせて作った分子モデルを動かしながら、日がな、ああでもないこうでもないと議論を繰り返した。DNAは生命の遺伝情報を担っている以上、必ずや自己複製を担保する構造をとっているはずだし、シャルガフの法則を満たす規則性をもっているはずだと。

しかしいくら演繹的とはいえ、彼らにも思考のジャンプ台となるべきデータや観測事実が必要だった。それは意外なところからもたらされた。

盗み見られたX線写真

ロザリンド・フランクリンは、自分が独立した研究者であり、DNAのX線結晶学が自分のプロジェクトだと考えていた。ところが、彼女が所属する前からロンドン大学キングズカレッジでDNA研究に携わっていたモーリス・ウィルキンズの認識は異なっていた。ウィルキンズは、フランクリンを自分の部下だとみなしていた。そして自分がDNA研究プロジェクトの統括者だと考えていた。X線結晶学に疎いウィルキンズは、フランクリンの参加によって自分のプロジェクトが大いに推進されることを期待していた。この齟齬が不幸の始まりだった。

曖昧さや妥協を一切許さないフランクリンは研究所内でことあるごとにウィルキンズと衝突した。ある時など、ウィルキンズに対してきっぱりとDNAから手を引くようにいい渡したこともあった。ウィルキンズはこの冷戦にほとほと手を焼いていたようだ。

ウィルキンズとフランクリンが所属していたロンドン大学キングズカレッジと、ワトソンとクリックが所属していたケンブリッジ大学キャベンディッシュ研究所はDNA構造解明を巡ってライバル関係にあった。しかし両者は私的なレベルでは友好関係にあった。特に、クリックとウィルキンズは年も近く、古くから親交があった。ウィルキンズはクリッ

左からワトソン、クリック、ウィルキンズ（© Nobelstiftelsen）

クとしばしば食事をしてはフランクリンの行状について愚痴をこぼした。ウィルキンズはフランクリンを陰で〝ダークレディー〟と呼んでいた。

ここに三冊の書物がある。一冊目は、ジェームズ・ワトソンが書いた『二重らせん』（江上不二夫・中村桂子訳、講談社文庫、一九八六）。二冊目は、フランシス・クリックが書いた『熱き探究の日々』（中村桂子訳、TBSブリタニカ、一九八九）、そして三冊目が、モーリス・ウィルキンズによる『二重らせん　第三の男』（長野敬・丸山敬訳、岩波書店、二〇〇五）である。

一九六八年、ワトソンが出版した『二重らせん』は科学読み物としては異例の大ベストセラーとなった。DNA構造の解明競争にまつわる研究者たちの赤裸々な実態、不安や焦燥、猜疑心、嫉妬やねたみなどがストレートな筆致で余すところなく描き出されていた。人々はこの暴露本を面白がった。

しかし、多くの読者が気づかなかった事実がある。この本はまったくフェアではなかったのだ。著者ワトソンだけが、無邪気な天才という安全地帯にあって、他の人々はあまりにも戯画化されすぎていた。複数の関係者が異議を唱えた。クリックでさえも不快感を表明した。この中で最も不当に記述されたのがロザリンド・フランクリンだった。彼女は、ウィルキンズの〝助手〟とされ、気難しく、ヒステリックで、それでいて自分のデータの重要性にも気がつかないような暗い女性研究者〝ロージィ〟として描かれていた。

ここにはもうひとつ重要な記載がさりげなく記されている。ワトソンがある時、ロンドン大学を訪問し、ロージィと論争してきわめて険悪なムードになったことがあり、それがきっかけでウィルキンズと〝被害者同盟〟を結んで、急に打ち解ける場面がある。そこでウィルキンズは秘密を語る。

彼は、ひそかにフランクリンの撮影したDNAの三次元形態を示すX線写真の結果を複写しているというのだ。

そのX線写真模様はどんなふうなのかと質問すると、モーリスは隣の部屋から、彼らが「B型」構造と呼んでいる新形態を示す写真のプリントをもってきた。

その写真を見たとたん、私は唖然として胸が早鐘のように高鳴るのを覚えた。（中略）写真のなかでいちばん印象的な黒い十字の反射はらせん構造からしか生じえないものだった。（ワトソン『二重らせん』講談社文庫）

第7章　チャンスは、準備された心に降り立つ

ウィルキンズの言い分

訓練をつんだ医者は、胸部X線写真を眺めただけで、そこにわずかな結核の手がかりやあるいは早期ガンを疑うに足る陰影を認めることができる。私たちが同じものを手にしても、そこにはぼんやりとした雲や霞のような白い広がりが見えるだけだ。

実は、医者がX線写真をライトにかざすとき、彼が診ているものは、胸の映像というよりはむしろ彼らの心の内にあらかじめ用意されている「理論」なのである。もし、結核であれば、左右の肺下部のくさび状先端にわずかに水の線が見えるはずであり、もしそれがガンであれば普通とは違った毛細血管の走行が現れるはずだ、彼らの目にはそのような

「理論」が前もって負荷されている。

数値、図表、顕微鏡写真、X線フィルム……確かに、科学データは客観的に見える。しかし、データAを目にしているすべての観察者が、まったく同じ客観的事実A′を見てとっているわけではない。一見は、百聞に勝るかもしれない。が、その一見がもたらすものは異なる。そしてその異なり方、つまりデータが一体何を意味しているのかという最終的なアウトプットは常に言葉として現れる。その言葉を作り出すものが理論負荷性というフィルターなのである。

ワトソンは、不正な方法で入手されたロザリンド・フランクリン撮影のDNAデータを見たとき、どの程度、〝準備された心(プリペアード・マインド)〟、あるいは理論負荷があったのだろうか。彼の自伝『二重らせん』によれば、ウイルキンズがこっそり見せてくれたX線写真を見て、そのデータが意味するところを瞬時に理解して稲妻に打たれたかのごとき衝撃を受けた様子が描かれている。

「その写真を見たとたん、私の口はあんぐりと開き、鼓動が高鳴り始めた(my mouth fell open and my pulse began to race)」(筆者訳)

ほんとうなのだろうか。意図的にしろ無意識的にしろ、これは後から作られた発見のドラマであって、当時、ワトソンもそしてウィルキンズも、すぐにデータの詳細を解読できるほど、X線結晶学に精通していたわけではなかったというのが真相のようだ。それはウィルキンズの自伝を読むとわかる。公平のために、データを横流しした悪者として描かれているウィルキンズの言い分を聞いておこう。

フランクリンのX線写真を盗用したとするこのエピソードは上記のワトソンの本でも特に悪びれることなくおおっぴらに書かれているし、このあと幕が切って落とされた、疾風怒濤のごとき遺伝子研究の絢爛期をダイナミックに描いたことで名高いH・F・ジャドソンの『分子生物学の夜明け　生命の秘密に挑んだ人たち』（東京化学同人、原題は“The eighth day of creation”〔創造の第8日目〕という粋なタイトルになっている）でも辛辣に批判されている。ウィルキンズはこのことに対してずっと心を痛めていた。しかし彼は沈黙を守っていた。その彼が最近になってとうとう胸のうちを明らかにした。それが『二重らせん　第三の男』である。

この中で、ウィルキンズはこの〝データ盗用〟のエピソードがさまざまな形で語られたことにとても傷ついたと述べている。そして実際に、フランクリンのX線写真をワトソンに見せたことを認めている。しかし、そのこと自体は軽率だったと振り返っているものの、決して盗用とか無断で行われたのではなく、フランクリンの許可が間接的にあったと書いているのである。

これは非常にデリケートな部分である。当時、フランクリンは、ウィルキンズとの確執に疲れ果て研究室を移動する決意を固めつつあった。フランクリンの下には彼女に指導を仰いでいた大学院生ゴスリングがおり、置き去りにされる形のゴスリングは不可避的に、研究室の長であるウィルキンズの指導下に入った。したがってフランクリンとゴスリングが共同で得たデータを閲覧する権限がウィルキンズにはあり、フランクリンもそれを認めていたというのである。

『二重らせん　第三の男』には、ワトソンがこの写真を見たときのシーンが回顧されている。そこではワトソンは急いで帰ろうとするところで、ウィルキンズはこのデータがワトソンに決定的な情報を与えるとは思っていなかった。ワトソンにも、このデータを見て衝撃を受けたそぶりはまったくなかったという。胸の高鳴りまではうかがい知れずとはいえ、少なくとも、ワトソンが口をあんぐりとあけたといった記述はない。

「準備された心」を持っていたのは誰か

DNA結晶を撮影したフランクリンのX線写真は、後になって見事なデータとの評価を受けることになる。が、それは一瞥しただけではフィルム上に、黒い点々が四方に飛び散ったようなきわめて抽象的な画像にしか見えず、それこそ胸部レントゲン像以上にとりとめのないものである。それを意味づけるためには、手間隙のかかるさまざまな数学的変換と解析が必要となる。垣間見ただけでそれがワトソンにできたとはにわかに信じがたい。もし、ウィルキンズの側に「理論負荷」があって、その意味するところを十分把握していたとすれば、そのような最重要データをやすやすとライバルに見せるはずもない。

むしろこのドラマの登場人物の中で、X線結晶構造解析について最も「準備された心」を持っていたと思われるのは、物理学出身で、すでにタンパク質X線データ解析の経験もあったフランシス・クリックだった。

ところが、クリックはクリックで、自著『熱き探究の日々』において、「私の方は当時、その写真を見たことがなかったのだ」と記している。これはおそらく正確ではない。

ちなみに、クリックのこの自伝的回顧本の原題は、"What Mad Pursuit"といい、彼の〝自由な魂の遍歴〟が、ショーウィー（showy）過ぎるワトソンの『二重らせん』とはまったくトーンを異にした、けれんみのない淡々とした記述で綴られる。DNAラセン構造解明の部分も抑制的ながら丁寧に書かれている。むしろ、瞠目すべき点は、この仕事以降のクリックの思索、すなわち、彼が遺伝子（DNA）とタンパク質のアミノ酸配列という二つの異なるコードをつなぐために、情報の橋渡しをするアダプターが必要であること、そしてそのアダプターに備わっているはずの性質を思考実験によって予言する部分にある。

後年、DNAから情報をコピーして運び出すための伝令役としてメッセンジャーRNAが、さらに核酸の遺伝暗号とアミノ酸を一対一に結びつける翻訳素子としてトランスファーRNAが相次いで発見され、クリックの洞察が微塵の狂いもなく正鵠を射ていたことが明らかとなる。生物学において理論的予言が、実験的実証によって立証されることになった類稀なるエポックであった。

クリックの静かな情熱

クリックはDNAにたどり着くまで、さまざまな研究を、あまり興味が持てないままに、どちらかといえばいやいやながら行っていた。ロンドン大学で、物理学を専攻した彼は、旧態依然たる実験室で圧力と高温を加えたときの水の粘性変化を測定するという研究に従事させられた。ついで第二次世界大戦が始まり、海軍に配属され、機雷に関する軍事研究を行う。

戦争が終わり、ようやく基礎研究のメッカ、ケンブリッジ大学キャベンディッシュ研究所にもぐりこんだはよいが、そこで与えられたのは、来る日も来る日もヘモグロビンというタンパク質を馬の血液から取り出し、その構造を解析する研究だった。これも彼が心から意欲的に取り組めるテーマではなかった。彼は、永遠の神秘を解き明かすような、大それたチャレンジがしたかったのだ。

〝利己的遺伝子〟理論を日本に敷衍(ふえん)したことで名高い竹内久美子の『そんなバカな! 遺伝子と神について』(文春文庫、一九九四)の中に、クリックに捧げられた一章がある。彼女の「理論」はともかくとして、このクリックへのオマージュはなかなか素敵な文章となっている。クリックがさまざまな回り道をしながらも絶えず静かな情熱を秘めて謎に向き合う姿が称えられている。先に記した「自由な魂の遍歴」という言葉はそこから引用させていただいた。ところで、その中にこんな一節がある。

「『What Mad Pursuit』、直訳すれば『何て狂気の沙汰の追究なんだろう』とでもなるだろうか。キーツの詩の一節に由来する。但(ただ)し、残念ながら邦題は『熱き探究の日々』

気の利いた原題がありきたりな邦訳になってしまったといわんばかりだ。ロング・ベストセラーとなっている竹内の本が版をたくさん重ねても一向に変更の気配がないのであえていわせていただくと、この〝直訳〟はいただけない。それこそ、そんな……と思える。

まず構文上、どう考えても感嘆文とはなりえない。引用元となっているキーツの詩は、「ギリシャの壺のオード」(オードとはギリシャ古代劇中の詩の一形式)という有名なもので、詩人が古代の壺に問いをかける。つまり、これは疑問文である。いかなる狂気が(それを)追究するのであろうか? という意味だろう。もちろん、クリックにとっての「それ」とは生命の最大の神秘、遺伝子の謎であった。百歩譲って、クリックがこれを疑問文とはせずに取り出したのであれば、what イコール something となって、狂気が追い求めるところの何ものか、という意味に読むこともできる。そのほうがあくなき思索の旅を生涯続けたクリックの姿と重なるかもしれない。

その後、科学行政の道に進んで、ゲノム・プロジェクトの主導などそこでも大家をなしたワトソンとは異なり、クリックは終生、一研究者を貫いた。私は一度だけ、この二十世紀最高の科学者にして、伝説上の人物たるクリックのなまの姿を見かけたことがある。

ラホイア (La Jolla)。ロスアンジェルスからメキシコに向けて、太平洋岸を二時間ほど南下した、海を望む小高い丘陵地帯に、この小さな街はある。冬でも蝶が舞い、一年中花の絶えることのないこの地には、全米から功成り名を遂げた人々が集まり、〝レイドバック〟(余生)を楽しむ。高い波が打ち寄せるラホイア・ビーチはサーフィンのメッカでもある。

スペイン語で「宝石」を意味するラホイアには、アメリカの富がまさに文字通りジュエルのように凝縮され、さんさんと降り注ぐ太陽の光を浴びて硬質な美しさを発している。ラホイア北部の、海に面した小高い丘のうえにソーク生物学研究所はある。世界最高の生物学研究施設のひとつであり、かつ「私立」機関でもある。周囲は砂と岩が広がる荒地。そこに忽然と屹立するソークは訪問者の意表をつく。

ルイス・カーン設計のその建物は、木材と打ち放しコンクリートからなる低層の研究棟が、ちょうど中世の修道院のように、中空のコートを中心にして回廊状に配置されている。コートは植え込みひとつない石畳だ。太平洋を望む面だけは開口しており、コートの中央を貫く水路が、そのまままっすぐに伸びて海と水平線の境界へと飛翔する。カーンはこれを「空へのファサード」と名づけた。ソークに集った超一流(トップノッチ)の研究者たちは、この開かれたファサードからまさに世界に向けて新しい情報を日夜、発信している。

あるとき、ソーク研究所を訪問した私は建物の中を巡った末、休憩がてらカフェテリアに下りた。椅子に腰掛けてふと横をみるとそこにクリックがいた。彼はひとり離れて座ってコーヒーを静かに飲んでいた。食堂内には三々五々、研究所員が集って談笑していたが、誰もクリックに注意を払ってはいなかった。おそらくそれがこの場所での敬意の表し方であったのだろう。

彼はイギリスを去ってかなり以前からソークに籍を置いていた。ここで彼は若い頃のもうひとつの夢、脳の謎を解析する思索に取り組んでいた。離れた神経細胞がいかにして同調的に活動できるのか、いわゆる脳のバインディング(結合)問題と呼ばれる困難なテーマである。DNAの謎を解明したクリックにとって、それが次に挑戦すべき最大の謎と映っていたのだろう。生命現象における同調の問題、つまりシンクロニシティについてはまた別の機会に触れよう。

もちろん私もまた、すぐとなりにいる本物のフランシス・クリックに何も話しかけることができなかった。ただ、その場に居合わせた不思議な偶然を幸いに感じた。クリックは二〇〇四年、この地でその生涯を閉じた。

ラセン構造解明の真実

さて、本題に戻ろう。クリックが、しかし、自伝の中で注意深く触れることを避けている事実が存在する。それこそがＤＮＡ構造を解く上で決定的な鍵を握っていたのであり、また、科学者が科学者の営みを評価するピア・レビューの陥穽を浮き彫りにするものでもあった。クリックは、ロザリンド・フランクリンがまったくあずかり知らない間に、ＤＮＡに関する彼女のデータを覗き見していたのだ。

フランクリンは一九五二年、自分の研究データをまとめたレポートを年次報告書として英国医学研究機構に提出した。英国医学研究機構は彼女に研究資金を提供している公的機関である。研究者は資金提供元に対して、研究成果の報告をすることが義務付けられており、その成果いかんによって資金提供継続の可否が決められるのが普通だ。だからフランクリンはあらん限りの成果を詰め込んで詳細な報告書を作り上げた。

ただし、これは学術論文ではない。したがって厳密なピア・レビュー、すなわち専門科学者による論文価値審査を受けることはなく、公表されることもない。そのかわり、研究者は未発表データや研究途上の試験的データも盛り込むことができる。とはいえ、英国医学研究機構の予算権限を持つメンバー達がこの報告書に目を通すことになる。その意味では、この報告書もまた研究論文と同様、ピア・レビューに晒されることになる。

そのレビューアーの中に、マックス・ペルーツがいた。ペルーツは機構の委員であり、かつ、クリックの所属するケンブリッジ大学キャベンディッシュ研究所では、彼の指導教官にあたる立場にいた。フランクリンが英国医学研究機構に提出した報告書の写しはまずペルーツに行き、そこからクリックの手に渡った。クリックはフランクリンのデータを見ることができたのである。じっくりと、誰にもじゃまされることなく。

この報告書はワトソンとクリックにとってありえないほど貴重な意味をもつ文書だった。そこには生データだけでなく、フランクリン自身の手による測定数値や解釈も書き込まれていた。つまり彼らは交戦国の暗号解読表を入手したのも同然だったのである。そこにはDNA結晶の単位格子についての解析データが明記されていた。これを見ればDNAラセンの直径や一巻きの大きさ、そしてその間にいくつの塩基が階段状に配置されているかが解読できたはずである。その上で報告書にはさりげない、しかし最も重い意味をもつ記述があった。

「DNAの結晶構造はC2空間群である」

この一文は、そのままクリックのプリペアード・マインドにストンとはまった。あたかもジグソーパズルの最後のピースのように。C2空間群とは、二つの構成単位が互いに逆方向をとって点対称的に配置されたとき成立する。クリックの心には、タンパク質へモグロビンの結晶構造がC2空間群をとっているという理論の負荷がしっかり過ぎるほどしっかりとかかっていたのである。彼はこのヘモグロビンの構造解析にそれこそ飽き飽きしていたのだ。

Chance favors the prepared minds. チャンスは、準備された心に降り立つ。パスツールが語ったとされるこの言葉のとおりのことが起きた。

二本のDNA鎖は、反対方向を向きながら互いに絡まりあっている！　クリックによって、データはたちどころにそう解釈された。このときAとT、GとCの塩基対は、鎖の走行と90度の平面を取ってぴったりとDNAラセンの内部に納まることになる。反対方向に対合するDNAの複製も互いに逆方向に起こる。マリスのPCRもこの上で成立する。すべての鍵がここにあった。

おそらく、ワトソンとクリックはこの報告書を前にして、初めて自分たちのモデルの正しさを確信できたのだ。すぐに彼らは論文を『ネイチャー』誌に送った。

しかし、である。ピア・レビューの途上にある、未発表データを含む報告書が、本人のまったくあずかり知らないうちに、ひそかにライバル研究者の手に入り、それが鍵となって世紀の大発見につながったのであれば、これは端的にいって重大な研究上のルール違反である。果たして、この報告書は、ペルーツが自主的にクリックに手渡したのか、それとも、クリックあるいはワトソンから頼まれて渡したのだろうか。ペルーツは、一九六九年、『サイエンス』誌上で、「あの頃の私は未熟で、事務手続きには無頓着だった。それに報告書が極秘のものではなかったので、提供しない理由はないように思えた」と弁明している。

DNAラセン構造が明らかにされてからおよそ十年がたとうとする一九六二年の暮れ、ストックホルムで開催されたノーベル賞授賞式の壇上には、この発見を成し遂げた三人の科学者の、輝くばかりの晴れ姿があった。ジェームズ・ワトソン、フランシス・クリック、そしてモーリス・ウィルキンズである。彼らにはDNAラセン構造の解明に対してノーベル医学生理学賞が授与された。しかも、同じ壇上には、タンパク質の構造解析への貢献を認められたマックス・ペルーツの姿があった。彼には化学賞が与えられた。ある意味で「共犯者たち」がその場所にそろったのである。

最も重要な寄与をなしたはずのロザリンド・フランクリンの姿はどこにもなかった。彼女は、彼らがそろってノーベル賞を受賞したことも知らず、そして自身のデータが彼らの発見に決定的な役割を果たしたことさえも生涯気づかないまま、この年の四年前の一九五八年四月、ガンに侵されて三十七歳でこの世を去っていた。

彼女は研究テーマをDNAからタバコモザイクウイルスに変えて、死の直前まで研究に邁進していた。彼女はその立体構造をほぼ解き終わっていた。仕事は演繹的な論理のジャンプを許さない完璧な帰納的アプローチによってのみ構築されていた。それが彼女のスタイルだったから。

ウイルスは、ラセン状のRNAを中心に持ち、それを取り巻くようにタンパク質のサブユニットが回転弧を描きながらつみあがった未来的な円柱構造をとっていた。それはまさに彼女の思考を文字通りあとづけるように、周回しながらも同じ場所に戻らず規則正しいペースで上昇をくりかえしていた。

一説によれば、X線を無防備に浴びすぎたことが、彼女の若すぎる死につながったのではないかといわれている。

シュレーディンガーの問い

ワトソンもクリックも、そしてウィルキンズも、自分たちが生命の謎を探究しようと思うに至ったきっかけとしてある一冊の書物を挙げている。物理学者エルヴィン・シュレーディンガーの手による“What is Life?”（一九四四）である。邦訳は岩波新書から一九五一年に『生命とは何か』（岡小天・鎮目恭夫訳）として刊行され、以降、ロングセラーとなっている。今、手に取るとごく薄い本で、小著といっていいものだ。

本稿の読者には一九四四年というこの年号を記憶の隅にとどめておいてほしい。ワトソンとクリックによる二重ラセン構造発見に先立つおよそ十年前、遺伝物質としてDNAを見極めた、ニューヨーク・ロックフェラー研究所のオズワルド・エイブリーの研究が発表されたのがちょうどこの年である。それはまだ世界に認められず、当然のことながら物理学者シュレーディンガーにも届いていない。

いうまでもなくシュレーディンガーは、アインシュタインと並んで二十世紀初頭の理論物理学を築いた天才である。一九二六年、彼が三十八歳のときに提出した「固有値問題としての量子化」と題した論文は、シュレーディンガーの波動方程式としてあまりにも有名である。今日、理系の大学生は、初年度、まず彼の基礎理論を学ぶところから講義が始まる。そんな彼がなぜ生命現象に対する考察をものしたのだろうか。

シュレーディンガーには一九三三年ノーベル物理学賞が授与された。しかしその頃には彼は理論物理学の「現場」から姿を消していた。自らがその基礎を築いたはずの量子力学におけるその後の発展、つまり不確定性や非連続性という概念に対して、彼はかたくなまでに疑義と不信を抱き、あえてそこから背を向けた。〝シュレーディンガーの猫〟と呼ばれる彼の提起したパラドックスは、不確定性原理に基づく自然理解に対する彼自身によるアンチテーゼだ。

一九三〇年代終わりにはアイルランドのダブリンに隠遁し、学界の主流から完全に外れた。一九四三年二月、第二次世界大戦のさなか、ダブリンの高等学術研究所の主催で行われた一般向け連続公開講座の講義録として、この“What is Life?”は刊行された。

ここには孤独な認識の変遷が結実している。物理学は今後、最も複雑で不可思議な現象の解明に向かうべきである。それは生命である。立論はそういう形式をとっていた。が、彼の真意はむしろ逆だった。生命現象は神秘ではない。生命現象はことごとく、そしてあますところなく物理と化学の言葉だけで説明しうるはずである。その高らかな宣言の書が“What is Life?”だった。その静かな熱に、若きワトソンが、クリックが、ウィルキンズが感応したのである。

シュレーディンガーは『生命とは何か』の中できわめて重要な二つの問いを立ててい

た。ひとつ目は、遺伝子の本体はおそらく非周期性結晶ではないか、と予言したことである。ふたつ目は、いささか奇妙に聞こえる問いかけだった。それは「なぜ原子はそんなに小さいのか？」というものだった。

第8章　原子が秩序を生み出すとき

小さな貝殻はなぜ美しいか

夏休み。海辺の砂浜を歩くと足元に無数の、生物と無生物が散在していることを知る。美しいすじが幾重にも走る断面をもった赤い小石。私はそれを手にとってしばらく眺めた後、砂地に落とす。ふと気がつくと、その隣には、小石とほとんど同じ色使いの小さな貝殻がある。そこにはすでに生命は失われているけれど、私たちは確実にそれが生命の営みによってもたらされたものであることを見る。小さな貝殻に、小石とは決定的に違う一体何を私たちは見ているというのだろうか。

「生命とは自己複製するシステムである」

生命の根幹をなす遺伝子の本体、DNA分子の発見とその構造の解明は、生命をそう定義づけた。

貝殻は確かに貝のDNAがもたらした結果ではある。しかし、今、私たちが貝殻を見てそこに感得する質感は、「複製」とはまた異なった何物かである。小石も貝殻も、原子が集合して作り出された自然の造形だ。どちらも美しい。けれども小さな貝殻が放っている硬質な光には、小石には存在しない美の形式がある。それは秩序がもたらす美であり、動的なものだけが発することのできる美である。

動的な秩序。おそらくここに、生命を定義しうるもうひとつの規準（クライテリア）がある。そのことを考えるためには、DNAの世紀が開始された一九五〇年代からさらにすこしだけ時間と場所を遡る必要がある。

先に記したように、DNAの構造解析に挑んだワトソン、クリック、ウィルキンズたちは、等しく、一冊の小著にインスピレーションを与えられたと語っている。量子力学の先駆者エルヴィン・シュレーディンガーが一九四四年、隠遁したアイルランド・ダブリンでの講義録をもとに著した『生命とは何か』である。

しかしながら、ワトソンたちが鼓舞されたのは、生命現象は最終的にはことごとく物理学あるいは化学の言葉で説明しうる、というシュレーディンガーの総括的な予言に対してであった。しかもワトソンたちがこの本を読んだのはおそらく五〇年代に入ってからである。本書執筆の時点で、遺伝子について物質のレベルでわかっていたことはわずかしかなかったし、物理学者シュレーディンガーの生物学に関する知識も限られたものだった。

一九四四年といえば、ニューヨークのロックフェラー研究所のオズワルド・エイブリーがその注意深い研究によって、遺伝子の本体は、それまで考えられていたようにタンパク質ではなく、むしろ核酸ではないかとするデータを控えめに発表した年だった。同僚の間ですら懐疑的にしか受け止められず、ほとんどの生物学者がその重要性にまだ気がつかなかったエイブリーの発見が、ダブリンのシュレーディンガーに届くよしもなかった。したがってシュレーディンガーの考察もほとんどが物理学者としての概念的な思考実験にとどまっていた。

とはいえ、遺伝子の本体が、デオキシリボ核酸（＝DNA）という化学物質であり、その二重ラセン構造は遺伝子の複製機構を担保するものであるというワトソンとクリックの発見は、シュレーディンガーの、予言の光に満ちた見事な成就だった。

その一方で、シュレーディンガーが思いを巡らせていた、生命が示すもうひとつの重要な局面への省察が、ともすれば陰影のうちに沈むことになってしまったともいえるのである。

原子の「平均」的なふるまい

『生命とは何か』の冒頭ちかく、シュレーディンガーは次のような問いを発していた。

原子はなぜそんなに小さいのか？

この〝風変わりな、人をばかにしたような〟質問にはどのような意味があるのだろうか。そして、生命現象のありようと一体どのような関係があるのだろうか。

確かに原子ひとつひとつはまったく小さなものだ。原子の直径は、だいたい一から二オングストロームであり、オングストロームとは、一メートルの百億分の一である。生命現象をつかさどる最小単位である細胞でさえも、その直径はおよそ三十万～四十万オングストロームであり、そこには途方もない数の原子が含まれている。

シュレーディンガーは、原子のサイズと生物のサイズに関するこのような事実を一通り説明したあと、鮮やかに問いを反転させる。

さて、原子はなぜそんなに小さいのでしょうか？

これは確かに一寸ずるい問いです。というのは、今私が問題にしているのは、実は原子の大きさではないからです。今問題になっているのは、実は生物体の大きさ、特

に、われわれ自身の身体の大きさなのです。（中略）

かくして、われわれの問いの本当の目的は、二つの長さ——われわれの身体の大きさと原子の大きさ——の比にあることが見究められたのですから、独立的な存在として原子の方が文句なしに先であることを考えると、先ほどの問いは、本当は次のようになります。われわれの身体は原子にくらべて、なぜ、そんなに大きくなければならないのでしょうか？　と。

このあとシュレーディンガーは、いくつかの例を挙げて、原子の〝ふるまい〟が、一般的にいって、絶えずまったく無秩序な熱運動に翻弄されている様を示す。

そのひとつはブラウン運動である。原子そのものの動きを直接見ることはできないが、小さくて軽い粒子、たとえば水面に浮かぶ花粉由来の微粒子や空気中に浮かぶ霧（微小な水滴）の動きなら顕微鏡を使って追うことができる。すると粒子は絶え間なく非常に不規則な動きをしていることがわかる。これがブラウン運動と呼ばれるものだ。

微粒子は、そのまわりに存在する見えない原子（正確にいえば、花粉の例では水分子、霧の例では気体分子）にあちこちとこづきまわされて絶えず揺らいでいる。それでも霧の水滴の場合、重力に引きつけられているので全体を平均すると徐々に地表へと落下してくる。彼は、この「平均すると」という概念に注意を喚起する。

シュレーディンガーが挙げたもうひとつの例は、拡散である。ちょっとしんきくさい説明となるがお付き合いいただこう。

水を満たした四角い容器の隅に、何か色のついた物質（ここでは紫色をした過マンガン酸カリ）を溶かし入れる。これを放置すると拡散というはなはだ緩慢な過程がはじまる。最初、一隅にあった濃い紫色は徐々に薄いほうへ拡がり、やがて一様に分布する。

しかし、過マンガン酸カリの粒子は、〝好んで〟混雑している場所から、より空いている場所へ移動しているわけではない。そのような力や傾向がここに存在するわけでもない。

粒子は、水分子の衝突によって絶えずこづきまわされて、予言することのできない方向へ移動していく。ある場合には濃度の高い方向へ、またある場合には低い方向へ。それでも（ここでは上の例の重力にあたるものがないにもかかわらず）、全体を平均してみると過マンガン酸カリの粒子は濃度の高いほうから低いほうへ規則正しい流れを生じさせている。なぜか。それはまさに各粒子がまったくランダムに動いているからに他ならない。

今、四角い容器のある小さな一区画とそれに隣接する小さな一区画を考えてみよう。過マンガン酸カリの粒子ひとつひとつは、でたらめな運動によって、右の区画から左の区画へも、左の区画から右の区画へも等しい確率で移動しうる。ここで、右の区画のほうが左よりもたくさんの過マンガン酸カリを含んでいる場合（最初に過マンガン酸カリを右隅に溶かし込んだとすればよい）、境界面を横切って、右から左へ移動する粒子のほうが、その逆より多いことになる。なぜなら、それはただ、でたらめな運動をしている粒子が左方よりも右方によりたくさんあるからだ。

そのような動きを全体として平均してみると、右から左へと、つまり濃度の高いほうから低いほうへと粒子の流れが存在することになり、これは粒子の分布が一様になるまで続く。もちろん、粒子のランダムな運動はそれ以降も続くが、それはランダムをかき回してランダムにする繰り返しとなる。

シュレーディンガーが、なぜこのようなことを諄々（じゅんじゅん）と説明したのかといえば、物理法則は多数の原子の運動に関する統計学的な記述であること、つまりそれは全体を平均したときにのみ得られる近似的なものにすぎない、という原理を確認したかったからである。

われわれの身体がこれほど大きい理由

さて、生命現象もすべては物理の法則に帰順するのであれば、生命を構成する原子もまた絶え間のないランダムな熱運動（ここに挙げたブラウン運動や拡散）から免れることはできない。つまり細胞の内部は常に揺れ動いていることになる。それにもかかわらず、生命は秩序を構築している。その大前提として、〝われわれの身体は原子にくらべてずっと大きくなければならない〟というのである。

それは、すべての秩序ある現象は、膨大な数の原子（あるいは原子からなる分子）が、一緒になって行動する場合にはじめて、その「平均」的なふるまいとして顕在化するからである。原子の「平均」的なふるまいは、統計学的な法則にしたがう。そしてその法則の精度は、関係する原子の数が増せば増すほど増大する。

ランダムの中から秩序が立ち上がるというのは、実にこのようにして、集団の中である一定の傾向を示す原子の平均的な頻度として起こることなのである。

ここで、百個の微粒子からなる集団を考えてみよう。彼らが水中に分散されていれば、ブラウン運動によって常にランダムに揺れ動いているだろう。さて、これらの微粒子を空気中にばら撒いたとする。先にシュレーディンガーが挙げた霧の例と同様、微粒子は空気中の分子にこづきまわされながら、四方八方にさまよいつつも重力の影響を受けて「平均」としては、下方に落下していく。

また別の実験として、百個の微粒子を、水を張った四角い容器の右隅に溶かしこんだ場合を想定してみる。この場合も、微粒子は水分子と衝突してランダムにたゆたいながらも、先に記した拡散の原理によって、「平均」としては、徐々に濃度の薄い左方向へ広がっていくだろう。

では、今、このような微粒子のふるまいを「平均」ではなく個々に、ある一瞬間だけ、正確に観測してみることができたとしよう。すると、百個の微粒子の大多数は、空気中にばら撒かれれば落下しているはずだし、水溶液の一隅に溶かし込まれれば濃度の薄い方向へ拡散しているはずだ。が、観測したその一瞬をとってみれば、粒子のうちいくつかは、この法則からはずれて、落下ではなく上昇しているもの、あるいは濃度の薄い方向から濃い方向へ逆行しているものがあるはずである。

平均から離れて、このような例外的なふるまいをする粒子の頻度は、平方根の法則（ルートn法則）と呼ばれるものにしたがう。つまり、百個の粒子があれば、そのうちおよそルート100、すなわち十個程度の粒子は、平均から外れたふるまいをしていることが見出される。これは純粋に統計学から導かれることである。

さて、仮に、たった百個の原子から成り立つ生命体を考えてみよう。この生命体は、どのような生命活動を行うにせよ、原子のうち常にルート100、すなわち十個程度の粒子は、その活動から外れることを覚悟しなくてはならない。全体が百で、例外が十ならば、生命は常に10％の誤差率で不正確さをこうむることになる。これは高度な秩序を要求される生命活動において文字通り致命的な精度となるだろう。

では、生命体が百万個の原子から構成されているとすればどうだろうか。平均から外れる粒子数はルート100万、すなわち1000となる。すると誤差率は、1000÷1000万＝0・1％となり、格段に下がる。実際の生命現象では、百万どころかその何億倍もの原子と分子が参画している。生命体が、原子ひとつに比べてずっと大きい物理学上の理由がここにあるとシュレーディンガーは指摘したのである。

生命現象に参加する粒子が少なければ、平均的なふるまいから外れる粒子の寄与、つまり誤差率が高くなる。粒子の数が増えれば増えるほど平方根の法則によって誤差率は急激に低下させうる。生命現象に必要な秩序の精度を上げるためにこそ、「原子はそんなに小さい」、つまり「生物はこんなに大きい」必要があるのだ。

生命現象を縛る物理的な制約

実際、生命の発生段階における基本的な形態形成に拡散の原理が重要な役割を果たしていることが、最近になってわかってきている。

私たちの身体は中央に背骨が走っており、それを中心線にして左右対称の構造をしている。背骨には分節構造があり、神経の配線もこの分節にしたがって仕分けされている。これが脊椎動物の基本構造である。しかし無脊椎動物である昆虫や、ムカデ、クモ、あるいはミミズのような生物についても広く、中心線とそれに沿った分節構造が存在するという基本デザインは共通している。これは何を意味しているのだろうか。

俗流進化論にマイクをまわせば、きっと彼らは次のように説明するはずだ。進化の原動力は突然変異である。突然変異に方向性はなくランダムに起こる。生命の歴史のあるとき、ランダムな突然変異が生じ、分節を持つ生物が生み出された。分節を持つ生物は、分節を持たない滑らかな生物に比べ、不気味な形態となったが、分節を持つことの有利さをも享受することになった。たとえば、分節による機能の分担や繰り返し構造に伴う物質利用の効率化、あるいは損傷の際、被害をその分節内だけにとどめることができる有利さやそのことによる修復のしやすさなどである。こうして分節を持つ生物はより環境に適合し、分節を持たない生物との生存競争に打ち勝ち、今日、あまねく分節を持つ生物が広がったのである、と。

しかし私は、現存する生物の特性、特に形態の特徴のすべてに進化論的原理、つまり自然淘汰の結果、ランダムな変異が選抜されたと考えることは、生命の多様性をあまりに単純化する思考であり、大いなる危惧を感じる。

むしろ、生物の形態形成には、一定の物理的な枠組み、物理的な制約があり、それにしたがって構築された必然の結果と考えたほうがよい局面がたくさんあると思える。分節もその例である。

ショウジョウバエという小さなハエがいる。生物の形態が分節を有する機構についての重要な知見は、この透き通るような可憐な昆虫を観察することから得られた。このハエは、ハエとはいうものの、その英名をフルーツ・フライというように果物や樹液を好む、体長三ミリメートル程度の極小のハエである。試験管の中で飼育でき、ライフサイクルもきわめて短いので（卵から孵化するまで一日、幼虫期三日、蛹期五日）、古くから実験用生物として遺伝学者たちの有用なツールとなってきた。

産み落とされた卵は、分裂を繰り返し徐々に形を作り上げていく。ハエである以上、やがて小さな蛆虫となる。蛆虫にはすでに立派な、きめ細やかな分節構造がある。以下の話は、細胞分裂が進行し、細胞の塊がいよいよ幼虫となる、その一歩手前の物語である。

細胞塊はラグビーボールのような紡錘形をしている。将来、どちらの側が頭になり、どちらの側が尾になるか、この段階ですでに決められている。このとき、頭になる側の細胞から、ビコイド（bicoid）と呼ばれる特別な分子が放出される。それはちょうど、水槽の一隅に投じられた過マンガン酸カリのように速やかに拡散を開始する。ビコイドは発生段階のわずかな一瞬だけ放出されるが、ランダムな熱運動を凌駕するに足る分子数があるので、〝平均すると〟、頭から尾にかけて美しい濃度勾配（グラデーション）を形成することになる。

ビコイドはそれに触れた細胞に対して、次の段階の分化命令を与えるシグナルとして働く。ここが不思議なところだが、細胞の側にはおそらくビコイドに対する感受性に段階的な閾値（いきち）が存在するのであろう、ビコイドの濃度勾配に対して階段状の応答を示してそれぞれ分化を開始する。それが結果的に蛆虫の各分節を形成することになるのである。

一方、ビコイドの濃度勾配をラグビーボールの背中側から見ると、拡散は縦方向だけでなく、左右にも均等に広がっていくことになる。これが分化のシグナルの左右対称性を与えることになる。

このような現象を目の当たりにすると、生物が示す形態形成の根拠には、分子の拡散がもたらす濃度勾配やその空間的な広がりなど、ある一定の物理学的な枠組みがあることが見て取れる。

それは決してランダムな試行と環境によるセレクションによるものでなく、そのような淘汰作用よりも下位の次元であらかじめ決定されていることなのである。ランダムなのはむしろそのときの原子や分子のふるまいであり、その中からいかに秩序が抽出しうるかが問題となる。そのための大前提として、いみじくもシュレーディンガーが看破したように、原子に対して生物は圧倒的に大きな存在である必要があるのだ。

生命はなぜ動的な秩序を維持できるのか

しかしこのことはあくまでも問題の本質の前提でしかない。生命は、物理学的な枠組みの中に自らをしたがわせつつも、単に、その熱運動に身をゆだねているわけではなく、そこから複雑な秩序を生み出しているのである。その秩序のありようが貝殻を小石から峻別しているのだ。しかも生きている貝は、成長に応じてその貝殻の文様をも拡大できるのである。つまりその秩序は動的なものなのだ。

むろん、シュレーディンガーもそのことにきわめて自覚的だった。拡散はその途上では濃度勾配という情報をもたらすが、やがては一様に広がり平衡状態に達する。これは物質の勾配のみならず、温度の分布、エネルギーの分布、あるいは化学ポテンシャルと呼ばれる反応性の傾向も、すみやかにその差が解消されて均一化する。物理学者はこれを熱力学的平衡状態、あるいはエントロピー最大の状態と呼ぶ。いわばその世界の死である。物理学者は自分の扱う世界をしばしば〝系(システム)〟と呼ぶ。

エントロピーとは乱雑さ(ランダムさ)を表す尺度である。すべての物理学的プロセスは、物質の拡散が均一なランダム状態に達するように、エントロピー最大の方向へ動き、そこに達して終わる。これをエントロピー増大の法則と呼ぶ。

ところが生物は、自力では動けなくなる「平衡」状態に陥ることを免れているように見える。もちろん生物にも死があり、それは文字通り生命という系の死、エントロピー最大の状態となる。しかし、生命は、通常の無生物的な反応系がエントロピー最大の状態になるのよりもずっと長い時間、少なくともヒトの場合であれば何十年もの間、熱力学的平衡状態にはまり込んでしまうことがない。その間にも、生命は成長し、自己を複製し、怪我や病気から回復し、さらに長く生き続ける。

つまり生命は、「現に存在する秩序がその秩序自身を維持していく能力と秩序ある現象を新たに生み出す能力をもっている」ということになる。

このようなことはどのようにして実現できるのだろうか。シュレーディンガーはこの疑問に対して具体的なメカニズムを示すことはできなかった。しかし、彼は次のように予言した。

生命には、これまで物理学が知っていた統計学的な法則とはまったく別の原理が存在しているに違いない。その仕組みは、しかし、エンテレキー（生命力）といった非物理学的な、超自然的なものではない。それはわれわれがまだ知らない新しい「仕掛け」であるが、それもまたわかってみれば物理学的な原理にしたがうものであるはずだ。ちょうど、蒸気機関しか知らない技師が、電気モーターをはじめて見たときのようなものかもしれない。スイッチを押せばたちどころにモーターは動き出すが、彼はそれが幽霊によってもたらされているとは考えないだろう。モーターを分解して調べて見れば、そこには長い銅線がコイル状に巻かれており、その回転によって、蒸気機関と同じような運動エネルギーが生み出されていることに気がつくだろう。つまりモーターの仕組み自体は未知だが、そこに使われている原理はこれまでの物理学によっているはずで、自分は今、その解明の出発点に立っているのだ。そう技師は考えるだろう――。シュレーディンガーはこう述べるにとどまっている。

そのかわり、シュレーディンガーは、生命が、エントロピー増大の法則に抗して、秩序を構築できる方法のひとつとして、「負のエントロピー」という概念を提示した。エントロピーがランダムさの尺度であるなら、負のエントロピーとはランダムさの逆、つまり「秩序」そのものである。

生きている生命は絶えずエントロピーを増大させつつある。つまり、死の状態を意味するエントロピー最大という危険な状態に近づいていく傾向がある。生物がこのような状態に陥らないようにする、すなわち生き続けていくための唯一の方法は、周囲の環境から負のエントロピー=秩序を取り入れることである。実際、生物は常に負のエントロピーを〝食べる〟ことによって生きている。

シュレーディンガーは、これが単なる比喩ではないとして次のように述べた。

事実、高等動物の場合には、それらの動物が食料としている秩序の高いものをわれわれはよく知っているわけです。すなわち、多かれ少なかれ複雑な有機化合物の形をしているきわめて秩序の整った状態の物質が高等動物の食料として役立っているのです。それは動物に利用されると、もっとずっと秩序の下落した形に変ります。

シュレーディンガーは、ここで誤りを犯した。この考えはナイーブすぎたのである。実は、生命は、食物に含まれている有機高分子の秩序を負のエントロピーの源として取り入れているのではない。生物は、その消化プロセスにおいて、タンパク質にせよ、炭水化物にせよ、有機高分子に含まれているはずの秩序をことごとく分解し、そこに含まれる情報をむざむざ捨ててから吸収しているのである。なぜなら、その秩序とは、他の生物の情報であったものであり、自分自身にとってはノイズになりうるものだからである。

とはいえ、シュレーディンガーの省察のうち、食べることが、エントロピー増大に抗する力を生み出すという部分は、彼の意識のレベルにかかわらず、的確なものであった。その意味と機構を明らかにするためには、彼と同時代の、しかしすでにこの世には存在していなかったもう一人の孤独な天才、ルドルフ・シェーンハイマーについて語らなければならない。

第9章　動的平衡（ダイナミック・イクイリブリアム）とは何か

砂上の楼閣（サンド・キャッスル）

遠浅の海辺。砂浜が緩やかな弓形に広がる。海を渡ってくる風が強い。空が海に溶け、海が陸地に接する場所には、生命の謎を解く何らかの破片が散逸しているような気がする。だから私たちの夢想もしばしばここからたゆたい、ここへ還る。

ちょうど波が寄せてはかえす接線ぎりぎりの位置に、砂で作られた、緻密な構造を持つその城はある。ときに波は、深く掌を伸ばして城壁の足元に達し、石組みを模した砂粒を奪い去る。吹きつける海風は、城の望楼の表面の乾いた砂を、薄く、しかし絶え間なく削り取っていく。ところが奇妙なことに、時間が経過しても城は姿を変えてはいない。同じ形を保ったままじっとそこにある。いや、正確にいえば、姿を変えていないように見えるだけなのだ。

砂の城がその形を保っていることには理由がある。眼には見えない小さな海の精霊たちが、たゆまずそして休むことなく、削れた壁に新しい砂を積み、開いた穴を埋め、崩れた場所を直しているのである。それだけではない。海の精霊たちは、むしろ波や風の先回りをして、壊れそうな場所をあえて壊し、修復と補強を率先して行っている。それゆえに、数時間後、砂の城は同じ形を保ったままそこにある。おそらく何日かあとでもなお城はここに存在していることだろう。

しかし、重要なことがある。今、この城の内部には、数日前、同じ城を形作っていた砂粒はたった一つとして留まっていないという事実である。かつてそこに積まれていた砂粒はすべて波と風が奪い去って海と地にもどし、現在、この城を形作っている砂粒は新たにここに盛られたものである。つまり砂粒はすっかり入れ替わっている。そして砂粒の流れは今も動き続けている。にもかかわらず楼閣は確かに存在している。つまり、ここにあるのは実体としての城ではなく、流れが作り出した「効果」としてそこにあるように見えているだけの動的な何か、なのだ。

さらにいえば、砂の城を絶え間なく分解し同時に再構成している海の精霊たちでさえ、自らそのことに気づいていないにもかかわらず、彼らもまた砂粒から作られている。そしてあらゆる瞬間に、何人かが元の砂粒に還り、何人かが砂粒から新たに生み出されている。精霊たちは砂の城の番人ではなく、その一部なのだ。

むろん、これは比喩である。しかし、砂粒を、自然界を大循環する水素、炭素、酸素、窒素などの主要元素と読みかえさえすれば、そして海の精霊を、生体反応をつかさどる酵素や基質に置き換えさえすれば、砂の城は生命というもののありようを正確に記述していることになる。生命とは要素が集合してできた構成物ではなく、要素の流れがもたらすところの効果なのである。

このシンプルな、しかし転換的な生命観を私たちが本当の意味で発見したのはそれほど昔のことではない。私たち、という言い方はもちろん公平ではない。この事実を精密な実験で、つまりマクロな現象をミクロな解像力をもって証明したのは、ルドルフ・シェーンハイマーという人物であり、それがなされたのは一九三〇年代後半のことだった。つまり私たちは、まったく新しい生命観に遭遇してからまだたった七十年程度を経たにすぎず、しかも彼が明らかにしたものの意味を十分咀嚼(そしゃく)できたわけでもない。むしろ私たちは彼の名と彼の業績を忘れかけさえしているのだ。

シェーンハイマーのアイデア

浜辺に打ち寄せるある波が、たまたまその一回だけに限って、砂粒の代わりにコーラルピンクのサンゴの微粒子を運んできたとしよう。海の精霊たちは砂粒とサンゴの粒を区別することなく、そのサンゴ粒を使って砂の城を補修する。削れた壁、開いた穴、崩れた場所に、砂の代わりにサンゴを詰める。するとそこには何が見えることになるだろうか。

砂の城はこのとき、ちょうどダルメシアン犬のように、砂地の各所にサンゴ色のスポットがちりばめられた斑点模様を呈するだろう。しかしこのとき私たちが目を凝らして見るべきものは模様そのものではなく、模様が流れる様子とその速度なのだ。

サンゴの微粒子を運んできた波は、次の回からは普段どおり、普通のくすんだ砂を波打ち際に運ぶ。海の精霊たちは黙々と自分たちの作業を続ける。削れた壁、開いた穴、崩れた場所に砂を盛る。するとサンゴの粒でできたピンク色の斑点はしばらくの間、その場所に留まったものの、やがては後から来る砂粒にその場を譲ることになる。つまりサンゴが浮かび上がらせた模様は城を通り抜けて流れていき、城の一部として固定されることはない。

そしてこのことはサンゴの粒にだけ当てはまることではなく、すべての砂粒ひとつひとつにいえることでもある。砂粒はある瞬間、城のいずれかの一部でありつつ、次の瞬間には城から流れ去り、後から来た砂粒がその場所を襲う。サンゴの粒は、ちょうど澄みすぎて流れが見えづらい渓流にインクを垂らしたかのように、その流れと速度を可視化したのである。

シェーンハイマーにとってのピンク色のサンゴ砂は同位体というものだった。ちょうど彼が研究を始める頃までに、水素、炭素、窒素などの主要な元素には同位体（アイソトープ）と呼ばれるものが存在することが明らかになり、実際にそれを人工的に作り出すことが可能となっていた。

窒素は原子番号7の元素である。普通の窒素原子の原子核には陽子が七個、そして中性子が同じく七個含まれ、その重さ（質量数）は陽子と中性子の和、すなわち14と表される。ところが自然界に存在する膨大な数の窒素原子の中にはわずかながら変わり種が存在し、その原子核には陽子七個、中性子が八個存在するものがある。その結果、この変わり種窒素の質量数は15となる。これが重窒素である。窒素としての化学的性質には変わりがないが、わずかだけ重い。普通の窒素（^{14}N）と重窒素（^{15}N）は質量分析計を用いることによって見分けることができる。

シェーンハイマーはこの重窒素を、サンゴの砂として、つまり標識をつけた「追跡子（トレーサー）」として生物実験に使用するという画期的なアイデアを思いついたのだった。

タンパク質を構成するアミノ酸にはすべて窒素が含まれている。ひとたび食べてしまえば普通、そのアミノ酸は体内のアミノ酸にまぎれて行方を追うことは不可能となる。しかし、重窒素をアミノ酸の窒素原子として挿入すれば、そのアミノ酸は識別できる。色の違いからサンゴの砂がどこから来ていずこへ去るのかを追跡できるように、他のアミノ酸と区別して、重さの違いから重窒素を含むアミノ酸をずっと追跡できることになる。

重窒素の行方

かくして大発見への準備がととのえられた。普通の餌で育てられた実験ネズミにある一定の短い時間だけ、重窒素で標識されたロイシンというアミノ酸を含む餌が与えられた。

ルドルフ・シェーンハイマー
(New York Times, 1941年9月22日より)

波がサンゴの砂を運んできたのだ。このあとネズミは殺され、すべての臓器と組織について、重窒素の行方が調べられた。他方、ネズミの排泄物もすべて回収され、追跡子の収支が算出された。

ここで使用されたネズミは成熟したおとなのネズミだった。これにはわけがある。もし、成長の途上にある若いネズミならば、摂取したアミノ酸は当然、身体の一部に組み込まれるだろう。しかし成熟ネズミならもうそれ以上は大きくなる必要はない。事実、成熟ネズミの体重はほとんど変化がない。ネズミは必要なだけ餌を食べ、その餌は生命維持のためのエネルギー源となって燃やされる。だから摂取した重窒素アミノ酸もすぐに燃やされてしまうだろう。当初、こうシェーンハイマーは予想した。当時の生物学の考え方もそうだった。アミノ酸の燃えかすに含まれる重窒素はすべて尿中に出現するはずである。

しかし実験結果は彼の予想を鮮やかに裏切っていた。

重窒素で標識されたアミノ酸は三日間与えられた。この間、尿中に排泄されたのは投与量の27・4％、約三分の一弱だけだった。糞中に排泄されたのはわずかに2・2％だから、ほとんどのアミノ酸はネズミの体内のどこかにとどまったことになる。

では、残りの重窒素は一体どこへ行ったのか。答えはタンパク質だった。与えられた重窒素のうちなんと半分以上の56・5％が、身体を構成するタンパク質の中に取り込まれていた。しかも、その取り込み場所を探ると、身体のありとあらゆる部位に分散されていたのである。特に、取り込み率が高いのは腸壁、腎臓、脾臓、肝臓などの臓器、血清（血液中のタンパク質）であった。当時、最も消耗しやすいと考えられていた筋肉タンパク質への重窒素取り込み率ははるかに低いことがわかった。

実験期間中、ネズミの体重は変化していない。これは一体どのようなことを意味するのだろうか。

タンパク質はアミノ酸が数珠玉のように連結してできた生体高分子であり、酵素やホルモンとして働き、あるいは細胞の運動や形を支える最も重要な物質である。そしてひとつのタンパク質を合成するためには、いちいち一からアミノ酸をつなぎ合わせなければならない。つまり、重窒素を含むアミノ酸が外界からネズミの体内に取り込まれて、それがタンパク質の中に組み込まれるということは、もともと存在していたタンパク質の一部分に重窒素アミノ酸が挿入される——ちょうどネックレスの一箇所を開いてそこに新しい玉をひとつ挟み込むように——、というふうにはならない。そうではなく、重窒素アミノ酸を与えると瞬く間にそれを含むタンパク質がネズミのあらゆる組織に現れるということは、恐ろしく速い速度で、多数のアミノ酸が一から紡ぎ合わされて新たにタンパク質が組み上げられているということである。

さらに重要なことがある。ネズミの体重が増加していないということは、新たに作り出されたタンパク質と同じ量のタンパク質が恐ろしく速い速度で、バラバラのアミノ酸に分解され、そして体外に捨て去られているということを意味する。

つまり、ネズミを構成していた身体のタンパク質は、たった三日間のうちに、食事由来のアミノ酸の約半数によってがらりと置き換えられたということである。もし重窒素アミノ酸を三日間与えたあと、今度は、普通のアミノ酸からなる餌でネズミを飼い続ければ、一度は身体のタンパク質の一部となった重窒素アミノ酸がほどなくネズミの身体を脱して体外に捨て去られてゆく様子が観察されることになる。つまり、砂の城はその形を変えず、その中をサンゴの砂粒が通り過ぎていくのとまったく同じことがここでは行われているのだ。

ダイナミックな「流れ」

さらにシェーンハイマーは、投与された重窒素アミノ酸が、身体のタンパク質中の同一種のアミノ酸と入れ替わったのかどうかを確かめてみた。つまりロイシンはロイシンと置き換わったかどうかを調べたのである。

ネズミの組織のタンパク質を回収し、それを加水分解してバラバラのアミノ酸にする。二十種のアミノ酸をその性質の差によってさらに分別する。そして各アミノ酸について、重窒素が含まれているかどうかを質量分析計にかけて解析した。確かに実験後、ネズミのロイシンには重窒素が含まれていた。しかし、重窒素を含んでいるのはロイシンだけではなかった。他のアミノ酸、すなわち、グリシンにもチロシンにもグルタミン酸などにも重窒素が含まれていた。

体内に取り込まれたアミノ酸（この場合はロイシン）は、さらに細かく分断されて、あらためて再分配され、各アミノ酸を再構成していたのだ。それがいちいちタンパク質に組み上げられる。つまり、絶え間なく分解されて入れ替わっているのはアミノ酸よりもさらに下位の分子レベルということになる。これはまったく驚くべきことだった。

外から来た重窒素アミノ酸は分解されつつ再構成されて、ネズミの身体の中をまさにくまなく通り過ぎていったのである。しかし、通り過ぎたという表現は正確ではない。なぜなら、そこには物質が「通り過ぎる」べき入れ物があったわけではなく、ここで入れ物と呼んでいるもの自体を、通り過ぎつつある物質が、一時、形作っていたにすぎないからである。

つまりここにあるのは、流れそのものでしかない。

私たちは、自分の表層、すなわち皮膚や爪や毛髪が絶えず新生しつつ古いものと置き換わっていることを実感できる。しかし、置き換わっているのは何も表層だけではないのである。身体のありとあらゆる部位、それは臓器や組織だけでなく、一見、固定的な構造に見える骨や歯ですらもその内部では絶え間のない分解と合成が繰り返されている。

入れ替わっているのはタンパク質だけではない。貯蔵物と考えられていた体脂肪でさえもダイナミックな「流れ」の中にあった。体脂肪には窒素が含まれない。そこでシェーンハイマーは水素の同位体（重水素）を用いて脂肪の動きを調べてみた。シェーンハイマーは論文に記している。

（エネルギーが必要な場合）摂取された脂肪のほとんどすべては燃焼され、ごくわずかだけが体内に蓄えられる、と我々は予想した。ところが、非常に驚くべきことに、動物は体重が減少しているときでさえ、消化・吸収された脂肪の大部分を体内に蓄積したのである。

それまでは、脂肪組織は余分のエネルギーを貯蔵する倉庫であると見なされていた。大量の仕入れがあったときはそこに蓄え、不足すれば搬出する、と。同位体実験の結果はまったく違っていた。貯蔵庫の外で、需要と供給のバランスがとれているときでも、内部の在庫品は運び出され、一方で新しい品物を運び入れる。脂肪組織は驚くべき速さで、その中身を入れ替えながら、見かけ上、ためている風をよそおっているのだ。すべての原子は生命体の中を流れ、通り抜けているのである。

よく私たちはしばしば知人と久闊（きゅうかつ）を叙するとき、「お変わりありませんね」などと挨拶を交わすが、半年、あるいは一年ほど会わずにいれば、分子のレベルでは我々はすっかり入れ替わっていて、お変わりありまくりなのである。かつてあなたの一部であった原子や分子はもうすでにあなたの内部には存在しない。

肉体というものについて、私たちは自らの感覚として、外界と隔てられた個物としての実体があるように感じている。しかし、分子のレベルではその実感はまったく担保されていない。私たち生命体は、たまたまそこに密度が高まっている分子のゆるい「淀み」でしかない。しかも、それは高速で入れ替わっている。この流れ自体が「生きている」ということであり、常に分子を外部から与えないと、出ていく分子との収支が合わなくなる。

私たちが仮に断食を行った場合、外部からの「入り」がなくなるものの内部からの「出」は継続される。身体はできるだけその損失を食い止めようとするが「流れ」の掟に背くことはできない。私たちの体タンパク質は徐々に失われていってしまう。したがって飢餓による生命の危険は、エネルギー不足のファクターよりもタンパク質欠乏によるファクターのほうが大きいのである。エネルギーは体脂肪として蓄積でき、ある程度の飢餓に備えうるが、タンパク質はためることができない。

シェーンハイマーは、この自らの実験結果をもとにこれを「身体構成成分の動的な状態」(The dynamic state of body constituents) と呼んだ。彼はこう述べている。

生物が生きているかぎり、栄養学的要求とは無関係に、生体高分子も低分子代謝物質もともに変化して止まない。生命とは代謝の持続的変化であり、この変化こそが生命の真の姿である。

新しい生命観誕生の瞬間だった。

絶え間なく壊される秩序——動的平衡

生命とは何か？　それは自己複製するシステムである。DNAという自己複製分子の発見をもとに私たちは生命をそのように定義した。ラセン状に絡み合った二本のDNA鎖は互いに他を相補的に複製しあうことによって、自らのコピーを生み出す。こうしてきわめて安定した形で情報がDNA分子の内部に保存される。これが生命の永続性を担保している。確かにそのとおりである。

しかし、私たちが海辺の砂浜で小さな貝殻を拾ったとき、そこに生命の営みのあとを感じることができるのは、そして貝殻が同じ場所に同じように散在する小石とはまったく別の存在であることを半ば自明のものとできるのは、そこに生命の第一義的な特徴として自己複製能を感じるからだろうか。おそらくそうではない。

自己複製が生命を定義づける鍵概念であることは確かではあるが、私たちの生命観には別の支えがある。鮮やかな貝殻の意匠には秩序の美があり、その秩序は、絶え間のない流れによってもたらされた動的なものであることに、私たちは、たとえそれを言葉にできなかったとしても気づいていたのである。

シェーンハイマーは一九四一年、自ら命を絶った。このときまだDNAの二重ラセン構造は明かされていなかった。しかし彼は、生命を構成する分子はそれがたとえいかなるものであっても流れの掟から免れることができないとわかっていたはずである。

現在、私たちは、脳細胞のDNAでさえも不磨の大典でないことを知っている。脳細胞は発生時に形成されると一生の間、わずかな例外を除き、分裂も増殖もしないとされている。つまりここにはDNAの自己複製の機会はない。

ならば脳細胞のDNAはまったく不変で、ヒトが生まれてから死ぬまで、同一の原子で構成されたまま不動なのだろうか。そうではない。脳細胞はまさに波打ち際に立つ砂の城だ。その内部では常に分子と原子の交換がある。脳細胞のDNAを構成する原子は、むしろ増殖する細胞のDNAよりも高い頻度で、常に部分的な分解と修復がなされている。生まれてから死ぬまでに、城はずっと分子が出入りする流れの中にあって、すっかりリナベートされるのである。

DNAの発見者であるオズワルド・エイブリーも、その構造を解き明かしたジェームズ・ワトソンとフランシス・クリック、そしてロザリンド・フランクリンも十分に意識していなかったDNAの動的な姿がここにある。原子の乱雑なふるまいと秩序の維持を考え続けたエルヴィン・シュレーディンガーの省察もその地点には達していなかった。ただひとり、ルドルフ・シェーンハイマーだけがその秘密を感得することができた。

秩序は守られるために絶え間なく壊されなければならない。

なぜか？　ここにシュレーディンガーの予言が重なる。一九四四年、シェーンハイマーの死後三年して出版されたシュレーディンガーの『生命とは何か』で、彼は、先に記したように、すべての物理現象に押し寄せるエントロピー（乱雑さ）増大の法則に抗して、秩序を維持しうることが生命の特質であることを指摘した。しかしその特質を実現する生命固有のメカニズムを示すことはできなかった。

エントロピー増大の法則は容赦なく生体を構成する成分にも降りかかる。高分子は酸化され分断される。集合体は離散し、反応は乱れる。タンパク質は損傷をうけ変性する。しかし、もし、やがては崩壊する構成成分をあえて先回りして分解し、このような乱雑さが蓄積する速度よりも早く、常に再構築を行うことができれば、結果的にその仕組みは、増大するエントロピーを系の外部に捨てていることになる。

つまり、エントロピー増大の法則に抗う唯一の方法は、システムの耐久性と構造を強化することではなく、むしろその仕組み自体を流れの中に置くことなのである。つまり流れこそが、生物の内部に必然的に発生するエントロピーを排出する機能を担っていることになるのだ。

私はここで、シェーンハイマーの発見した生命の動的な状態（dynamic state）という概念をさらに拡張して、動的平衡という言葉を導入したい。この日本語に対応する英語は、dynamic equilibrium（ダイナミック・イクイリブリアム）である。海辺に立つ砂の城は実体としてそこに存在するのではなく、流れが作り出す効果としてそこにある動的な何かである。私は先にこう書いた。その何かとはすなわち平衡ということである。

自己複製するものとして定義された生命は、シェーンハイマーの発見に再び光を当てることによって次のように再定義されることになる。

生命とは動的平衡（ダイナミック・イクイリブリアム）にある流れである

そしてただちに次の問いが立ち上がる。絶え間なく壊される秩序はどのようにしてその秩序を維持しうるのだろうか。それはつまり流れが流れつつも一種のバランスを持った系を保ちうること、つまりそれが平衡状態（イクイリブリアム）を取りうることの意味を問う問いである。

第10章　タンパク質のかすかな口づけ

絵柄のないジグソーパズル

　苦労してジグソーパズルを組み上げて完成まであとひとつという時、肝心のそのピースが見当たらないことに気づいたら？　あなたは血眼になってあたりを手当たり次第探すだろう。ピースをまとめて入れていた紙箱の折り返し、座布団の下、読んでいた本のページの間……どんなに探しても見つからない。強い不安感があなたを襲う。

　実は、このようなことはジグソーパズルファンの間ではしばしば起こるようである。日本における最大手ジグソーパズルメーカー「やのまん」は次のようなお知らせをネット上に掲載している。

弊社では無料で紛失したピースを提供させて頂いております（一部子供専用パズルを除きます）。

商品に同封されていたピース請求ハガキがあれば、それにご記入の上、投函して下さい。また、葉書が無い場合には、まわりを囲む8つのピースをはずした上で、崩れないようラップ等でくるみ、封書に入れて品番・品名・請求ピースの位置をご明記の上、下記住所までご送付下さい。

又、ピースを特定するのに2週間ほどの期間を頂いております。

尚、子供用の板パズル（厚紙枠のなかで組んでいく子供用パズルのこと）につきましては、お一人様2ピースまでとさせて頂きます。又、既に製造中止となり、かなりの期間が経過しているものにつきましては対応出来ない場合もありますので予めご了承下さい。

大きなジグソーパズルであればピースの総数は数千個に上る。しかしピースの凹凸形状はいずれも微妙に異なり、どの二つをとっても同じものはない。これら独自のピースが、やのまん社の工場で、どのような機械によっていかなる方法で切り出されているのかは大変興味深いところだが、それはまた別の機会に推察するとしよう。上記お知らせで、最も重要なポイントは、「まわりを囲む8つのピースをはずした上で、崩れないようラップ等でくるみ」という一節である。

これは、たとえそれがどのような絵柄の、どの場所のピースであっても、八つのピースによって囲まれた空隙として、ある一ピースのかたちは特定しうるということである。

私たちは普通、まずパズルのピース群の中から、絵柄の「枠」部分を構成するピース、すなわち直線部分を持つピースをより分け、それによって文字通り大枠を作る。ついで同じ絵柄、同じ色などを手がかりにピースを分類し、部分部分を作っていく。これがジグソ

ピースのかたちの特定法

※ひとつのピースに接して、そのかたちを規定するのは、実際のところ上下左右の4つのピースである。しかしその4ピースの相対的な位置を連結し固定するため、さらに角4つのピースが必要となる。

ーパズルの定法だ。しかしこのようなテクニックはあくまで〝効率よく〟パズルを組み立てるすべでしかない。

ジグソーパズルを組み上げるのに、絵柄は本質的には必須のものではない。ある種の自閉症の子供は、ジグソーパズルを裏向けたまま、驚くべき速度で組み立てることができるという。あるいは、無地のジグソーパズルというものが現に存在するし、硬質のクリスタルガラスで作られた透明なジグソーパズルもある。絵のない、かたちだけのジグソーが描く曲線群はアーティスティックですらある。

たとえ絵柄がなくともピースはそれぞれまったく独自のかたちをしているので、そのまわりを取り囲みうるピースもまた一義的に決定される。あるピースを選び、そのピースと結合しうるピースをすべてのピース群から総当たり的に探し出すことを行えば、そしてこれを繰り返していけば、ジグソーパズルのネットワークは必然的に構成されていくことになる。

つまり全体の絵柄を想定しながらパズルを組み立てるという鳥瞰（ちょうかん）的な視点、いうなれば「神の視座」はジグソーパズルの外部にこそあれ、その内部に存在する必要はまったくない。パズルのピースは全体をまったく知らなくとも、全体の中における自分の位置を定めることができるのである。

タンパク質のかたち

ここに存在するルールの基本は、「かたちの相補性」である。あるひとつのジグソーピースのかたちは、たとえ偶然そのようなかたちをしていたとしても必然的に隣接するピースのかたちを規定する。

生命現象が採用しているこの相補性の原理を、私たちはすでに見たことがある。ＤＮＡの二重ラセン。彼らは、互いに他のかたちを規定しながら対を形成している。その対は、塩基と呼ばれる四種のピースのうち、二組のペアが、ちょうどレゴをはめるように結合することによって成立し、これがＤＮＡラセンの〝階段板〟として、下から上へずっと連なっている。

もし、このような相補性がさらに拡大して、二次元的あるいは三次元的に広がっているとすれば、そこには秩序をもつ大きなネットワークが存在しうることになる。実際、そのようなネットワークは存在するのである。

私はこのことを観念論的に述べているのではない。私はこのことを実在論として記述することができる。生命にとって、ジグソーパズルのピースは、シェーンハイマーが証明したとおり、絶え間ない分解と合成に晒されているタンパク質である。生命の内部にはおよそ二万数千種類のタンパク質があり、そこにはそれぞれ固有のかたちがある。海辺にたつ砂の城を作り出していた砂粒には、ミクロな眼でしか見えない凹凸があり、それは互いにパートナーを求めて自分の納まるべき場所に納まっていたのである。

タンパク質が、アミノ酸という構成単位が数珠玉のように連結して作られるものであることは先に述べた。数珠玉の数は数十から数百、場合によっては数千のものさえある。すべてはその数珠玉の結合順序によって決まる。

数珠玉、すなわちアミノ酸は二十種存在する。小さなアミノ酸から大きなアミノ酸、プラスの電荷を持つアミノ酸とマイナスの電荷を持つアミノ酸、水に溶けやすいアミノ酸と水に溶けにくいアミノ酸。二十種のアミノ酸はそれぞれその化学的性質を少しずつ異にする。アミノ酸が二つ連結しただけでも、その結果できうる順列の可能性は、20×20で四百通りもある。

アミノ酸が数百個連なってできるあるひとつのタンパク質は、天文学的な順列組み合わせの可能性から選抜されてできたものである。

そのタンパク質のある部分には水に溶けやすいアミノ酸が連続して連結される。またある部分には水に溶けにくいアミノ酸が連続して連結される。すべてのタンパク質は細胞内部の〝水中〟で作られるので、さまざまなアミノ酸が連結してできた一本のタンパク質の鎖の内部ではありとあらゆるせめぎあいが起こる。水に溶けやすいアミノ酸部分はできるだけタンパク質の外側（細胞内部の水と接する側）に出ようとし、水に溶けにくいアミノ酸はできるだけタンパク質の内側に折りたたまれて、外側の水から逃れようとする。プラスの電荷を持つアミノ酸は、マイナスの電荷を持つアミノ酸とペアリングしようとする。かさ高いアミノ酸とかさ高いアミノ酸の間の狭い空間には、小さなアミノ酸しかもぐりこめない。

しかしすべてのアミノ酸はまさに数珠玉のように一本の鎖としてつながっているので、もはやバラバラになることはできない。必然的に、鎖はありとあらゆるせめぎあいの結果、最もバランスのよいかたちに落ち着くことになる。バランスのよいかたちとは、そのタンパク質にとって熱力学的に最も安定した構造ということである。

こうして、あるタンパク質のアミノ酸結合順序が決まれば、タンパク質のかたち、すなわちその構造が一義的に決まる。構造が決まるということは、タンパク質の表面の微細な凹凸がすべて定まるということである。ジグソーピースの誕生である。

張り巡らされた相補性

あるタンパク質には必ずそれと相互作用するタンパク質が存在する。二つのタンパク質は互いにその表面の微細な凹凸を組み合わせて寄り添う。ジグソーパズルのピースのように、その結合は特異的である。しかし、特異性を担う要素は、ジグソーピースよりずっと複雑で多様である。特別なアミノ酸配列が作り出す立体構造のアンジュレーション（起伏）と、プラスとマイナス電荷の結合、親水性と親水性、疎水性と疎水性など似たもの同士の親和性など化学的な諸条件を総合した相補性である。

筋肉の構成単位は、アクチンとミオシンと呼ばれるタンパク質が組み合わさった相補的な構造である。そこにさまざまな別の制御タンパク質が参画して機械的な運動を生み出す。複数のタンパク質の相補的結合から構成された分子装置は細胞のあらゆる局面に位置し、生命活動を営む。

メッセンジャーRNAの配列をアミノ酸配列に変換するリボソームは、数十種のタンパク質複合体である。細胞内タンパク質分解を担うプロテアソーム、タンパク質の細胞膜通過を制御するトランスロコンなども巨大な分子装置である。それらはすべてタンパク質―タンパク質の相補的結合から組み上げられている。

相補性はまた、必ずしも常時、近接したタンパク質間に見出せるとは限らない。血糖値の上昇に反応して膵臓ランゲルハンス島から血液中に放出されたインシュリンは、身体をめぐった末に、脂肪細胞の表面に存在するインシュリンレセプターと特異的かつ相補的に結合する。

インシュリンレセプターは細胞膜を貫通しており、細胞外の部位でインシュリンを受けとめ、細胞内の部位でその情報を別のタンパク質に伝える。ここでもそのやりとりはかたちの相補性にもとづく相互作用によって行われる。この情報は、細胞内をカスケード（流れ落ちるたびに分岐する複数段の滝）のごとく、次々と相補的結合を通じて複数のタンパク質に伝えられ、その都度、信号は増幅される。細胞内に格納されていたブドウ糖輸送体と呼ばれる特殊なタンパク質が、細胞の表面に配備される（この配備のためのシステムもすべてタンパク質の巨大なネットワークが担っている）。

この装置を通じて、血液中のブドウ糖ははじめて細胞内に取り込まれる。その結果、血糖値が下がり、脂肪細胞に取り込まれたブドウ糖は脂肪に変換され貯蔵される。私たちの体重が確実に増加する。

ジグソーピースのように、相補的な相互作用を決定する領域は、ひとつのタンパク質に複数存在しうる。だからひとつのタンパク質に複数のタンパク質が接近し、結合する。さらに、その相補性は、ジグソーパズルが二次元上に限られていたのに対して、三次元的に広がる。このようにしてタンパク質による相補性は身体のあらゆる場所に張り巡らされることになる。

くっついたり離れたり

さて、私が長々とジグソーパズルと戯れてきた理由は、まさにこの相補性こそが、シェーンハイマーのテーゼへの解答を与えるからに他ならない。

生命とは動的平衡にある流れである。生命を構成するタンパク質は作られる際から壊される。それは生命がその秩序を維持するための唯一の方法であった。しかし、なぜ生命は絶え間なく壊され続けながらも、もとの平衡を維持することができるのだろうか。その答えはタンパク質のかたちが体現している相補性にある。生命は、その内部に張り巡らされたかたちの相補性によって支えられており、その相補性によって、絶え間のない流れの中で動的な平衡状態を保ちえているのである。

ジグソーパズルのピースは次々と捨てられる。それはパズルのあらゆる場所で起こるけれど、それはパズル全体から見ればごく微細な一部に過ぎない。だから全体の絵柄が大きく変化することはない。

そして新しいピースもまた次々と作り出される。重要なことは、新しく作られたピースは自らのかたちが規定する相補性によって、自分の納まるべき位置をあらかじめ決定されているという事実である。ピースはランダムな熱運動を繰り返し、欠落したピースの穴と自らの相性を試しているうちに、納まるべき場所に納まる。こうして不断の分解と合成に晒されながらも、パズルは全体として平衡を保つことが可能となる。

ジグソーパズルモデルもしくはそのアナロジーは、生命のありようを記述するのにきわめて有効だと私は考える。しかしながら、実際の生命現象の「柔らかさ」と「複雑さ」とからはいささか離れるきらいもある。そこで、ここでは二、三の注意を喚起しておきたい。

私の古い友人、和田郁夫・福島県立医科大学教授は、特別な顕微鏡と蛍光標識を使って、一分子のタンパク質が一分子のパートナータンパク質と相補的な結合を行う様子を観察してみた。

一方のタンパク質は顕微鏡の視野下、ある焦点深度の位置に固定されている。そこへ細胞内を浮遊する他方のパートナー（つまり結合しうるジグソーパズルの近接ピース）がランダムに接近する。パートナータンパク質には蛍光を発する標識が付加されているので、このタンパク質が、固定されたタンパク質と結合を果たすと、その瞬間、顕微鏡のCCDカメラは顕微鏡の焦点深度の範囲に入った蛍光を検出することができる。和田教授はこのような方法で、確かに二つのタンパク質が相補的な結合を行う瞬間に立ち会うことに成功した。

しかし、きわめて不思議なことに、蛍光はしばしば規則的な明滅を繰り返していたのである。規則的な明滅？ これは一体何を意味しているのだろうか。

顕微鏡は高い解像度で、細胞内のきわめて狭い範囲を観察している。その結果、必然的に、顕微鏡が見ている焦点深度の「厚み」はきわめて薄いものでしかない。それはおそらく一マイクロメートル以下の世界である。蛍光標識を付加されたタンパク質は、この焦点深度の厚みを少しでも外れると見えなくなる。すなわち蛍光は視野から消えてしまう。

つまり、ここで起こっていることはこうだ。焦点深度内に固定されているタンパク質に対して、もうひとつの蛍光標識タンパク質は、く、っ、つ、い、た、り離れ、た、りを定期的に繰り返しているのだ。離れると蛍光は検出深度を外れる。近づくと蛍光が検出される。だから明滅しているように見える。

相補性はしばしばこのようにきわめて微弱で、ランダムな熱運動との間に、危ういバランスを取っているにすぎない。パズルのピースはぴったりとは合うものの、がっしりとは結合せず、かすかな口づけを繰り返す。相補性は「振動」しているのだ。この点がジグソーパズルの固定的なイメージとは異なる。

とはいえ、この接吻は決して不特定多数に対するものでなく、特定のパートナーだけの間で交わされる特異的なものである。生命現象にあってはこのような「柔らかな」相補性のほうがずっと多いのかもしれない。

異常タンパク質を取り除く

「柔らかな」相補性は、工学的に見れば、結合力の高い堅牢な組み立てに比べ、耐久性の点で劣るように見える。またピース自体が常々作り変えられるという点も非効率的・消費的に見える。しかしそうではない。秩序を保つために秩序を破壊しつづけなければならないこと、つまりシステムの内部に不可避的に蓄積するエントロピーに抗するには、先回りしてそれを壊し排出するしかない。

これをタンパク質の言葉で説明すればこうなる。常に合成と分解を繰り返すことによって、傷ついたタンパク質、変性したタンパク質を取り除き、これらが蓄積するのを防御することができる。また合成の途中でミスが生じた場合の修正機能も果たせる。生体はさまざまなストレスにさらされ、その都度、構成成分であるタンパク質は傷つけられる。酸化や切断、あるいは構造変化をうけて機能を失う。糖尿病では血液の糖濃度が上昇する結果、タンパク質に糖が結合し、それがタンパク質を傷害する。

動的平衡はこのような異常タンパク質を取り除き、新しい部品に素早く入れ替えることを保障する。結果として生体は、その内部に溜まりうる潜在的な廃物を系の外に捨てることができる。

しかし、この仕組みは万全ではない。ある種の異常では、廃物の蓄積速度が、それをくみ出す速度を上回り、やがて蓄積されたエントロピーが生命を危機的な状態に追い込む。

その典型例が、タンパク質のコンフォメーション病として最近注目されるようになったアルツハイマー病や狂牛病・ヤコブ病に代表されるプリオン病である。前者では、アミロイド前駆体と呼ばれるタンパク質が、後者では異常型プリオンタンパク質と呼ばれるタンパク質が構造（コンフォメーション）に異常を来し、脳の内部に蓄積する。

おそらくごく初期の段階では、異常タンパク質は生体に備わった分解機構、除去機能によって排除されるのだろう。だから健康な人が高頻度で発症することはない。蓄積が一定の閾値を超えて進行すると、除去機能のキャパシティを上回り、やがて異常タンパク質の塊が脳細胞を圧迫するようになるのだ。

生命の可変性

システムの構成要素そのものが常に合成され、かつ分解されることによって担保される重要な生物学的概念がある。それは合成によって緩やかに上昇し、分解によって緩やかに下降するという一定のリズムを連続的に発生することによって振動子（オシレーター）を作り出すことができる、ということである。

振動子の別名は、〝時計〟である。事実、周期的な細胞分裂をコントロールするための生物時計の核心に、タンパク質の合成と分解によるオシレーションが関わっていることがわかってきた。その名もサイクリンと名づけられたタンパク質は正確なタイミングで合成され分解される。そのタイミングが細胞分裂サイクルをコントロールしている。

それでは、「柔らかな」相補性、つまり弱い相互作用を示すタンパク質が、ついたり離れたりして成立する相補性にはどのような特性があるのだろうか。それは外界（環境）の変化に応答して自らを変えられるという生命の特徴、つまり可変性と柔軟性を担保するメカニズムとなりうる点にある。

ついたり離れたりして平衡状態を保っている系では、たとえば何らかの環境変化に伴って一方のタンパク質の量が増減した場合の変化を鋭敏に捉えることが可能となる。細胞内の他の場所で、そのタンパク質がより多く動員されたり分解されたりすれば、おのずと明滅の総量は減少する。逆に、そのタンパク質の需要が減り、細胞内濃度が上昇すれば、明滅の総量は増加するだろうし、明滅の間隔は短くなるだろう（タンパク質の供給量が増えるので、ついたり離れたりする相互作用にプラスして新しいタンパク質がリクルートされる）。

このような信号の増減は、細胞にとって環境の変化を捉えるセンサーとして働く。もし、そのタンパク質がより多く動員されたり損傷して失われるのであれば、それをバックアップするような増産命令が発せられなければならない。逆に、そのタンパク質があまるようであれば、生産は一時的に抑制されなければならない。これらはいずれもDNA↓RNA↓タンパク質合成というプロセスの各段階における制御に反映される。

環境変化に対する生命の適応と内的恒常性の維持は、すべてこのようなフィードバックループによって実現される。柔よく剛を制す。まさに「柔らかな」相補性が生命の可変性を担っているのである。

「生物学的数字」のジグソーパズル

最後に、もうひとつだけジグソーパズルのアナロジーがもたらす齟齬を指摘しておきたい。

最初に紹介したパズルメーカー「やのまん」は、〝3D〟ジグソーパズルも販売している。これは平面状ジグソーパズルを、球面上に展開したもので、地球儀、月球儀をはじめ、絵画や写真を球面化したパターンなどもある。

当然のことながら3Dジグソーパズルには、平面パズルにあったような周囲の枠にあたるピースがない。つまり世界はパズルのピースだけで構成され、かつ完結しているのだ。このイメージを援用して、「生命は、タンパク質というジグソーピースによって構成された球体に内包されている」と、そのようにいうこともちろん可能である。

しかし、それでは、たとえばヒトは、遺伝子＝タンパク質の総種類、二万数千のピースからなる3Dジグソーパズルである、といったらどうだろうか。それはきわめて不正確ないい方となる。ここで私たちは、エルヴィン・シュレーディンガーの言葉をもう一度思い出す必要がある。生物は、原子・分子に比べてなぜそんなに大きいのか？　それは粒子の統計学的ふるまいに不可避の、誤差率（それはn分のルートnで表される）の寄与をできるだけ小さいものにするためである。

アクチンもミオシンも、そしてインシュリンもインシュリンレセプターも、すべて二万数千種類のピースのひとつひとつである。しかし、それらのピースは私たちの内部にそれぞれ一枚ずつあるわけではない。アクチンの、あるいはインシュリンのピースだけでも何億枚、いやそれ以上も存在するのだ。つまり、私たちを内包しているジグソーパズルはたった一組なのではなく、むしろ天文学的数字（この言葉も正確ではない。これこそを生物学的数字というべきなのだ）なのである。

その中で、ピースたちは恐ろしいまでのスピードで互いの相補性を求め合い、一瞬の逢瀬の後、たちまち失われてしまうのである。何億枚ものインシュリンが全身の血液を駆け巡り、さまざまな細胞表面にある何億枚ものインシュリンレセプターとの間で、あらゆる微分的な時間において明滅を繰り返しているのだ。そしてこのような相補性のネットは、生物学的数字によって幾重にも輻輳しているのである。

第11章　内部の内部は外部である

ポスドクの苛酷な暮らし

これは、世界にまだ『地図』がなかったときの、ごく小さな物語である。

私は、そのころすでにニューヨークを離れてボストンに暮らしていた。この街は、アメリカの他のどの都市とも異なった光を発している。

ニューイングランドと呼ばれる東海岸の一帯は、イギリスから清教徒が最初に到達した場所で、時間と落ち着きが静かに流れている。秋には石畳の路地にプラタナスやイタヤカエデの黄色い落ち葉が重なり、それを踏むと乾いた音がする。街の商店には、リンゴを絞ってシナモンを入れたアップル・サイダーの茶色のボトルがならぶ。ブラウンストーンと呼ばれる褐色の石積み建物の間からのぞく空は鈍く低い。まもなく長い冬が訪れる。一日中、気温が零度を上回らない日も多くなる。そんな夜は街路灯や遠くの窓辺の光が、透明なまでに鋭角的に澄んで見える。空気中の水蒸気がすべて氷結して地表に落下してしまうので、光の通り道にそれを散乱するものが何もなくなるのだ。

ニューヨークから北東へ約二百キロ上がった、同じ大西洋岸に位置するこの街には、ニューヨークには確かに存在していた何かが欠けていた。新しい環境で研究を再開することに忙殺されていた私には、最初、それが何であるのかわからなかった。新しい環境とはいえ、筐体（きょうたい）が変わっただけで私のポスドクとしての立場には何の変化もなかった。

ポスドクは、研究室の奴隷（ラブ・スレイブ lab slave）、これが私たちの乾いたジョークだった。朝から夜遅くまで、実験台に張り付いて小さな試験管やピペットを操作する。こまねずみのように冷凍室と遠心機室を忙しく往復してサンプルの精製を進める。測定器の前に陣取って細かい数値を書き取る。暗室にこもってX線フィルムを現像する。心を石にして、無数のマウスをあやめる。

当時、私が所属していたのは、ハーバード大学医学部の分子細胞生物学研究室というところだった。不思議なことに、こんな極寒の小さな街に、ハーバードの他、マサチューセッツ工科大学（MIT）、ボストン大学、タフツ大学、世界で最も有名な先端医療センターであるマサチューセッツ総合病院（MGH）、彗星のように現れては消えるバイオテクベンチャーなど名だたる研究施設が集結していた。

研究棟はいずれも細いスチールと反射ガラスを張り巡らしたような、スタイリッシュでインテリジェントな、そして非人間的な建物だった。私にあてがわれた実験室は清潔で機能的だったが、窓はひとつもなかった。奴隷を収容するガレー船の船倉に空などいらない。低賃金で長時間労働、危険もある。当然のことながら、スレイブたちの多くは非米国人だった。私と同じフロアにも、中国人、イタリア人、ドイツ人、韓国人、スウェーデン人、インド人がいた。

私たちは短い昼休みにカフェテリアに集っては声をそろえて、天安門事件に驚き、湾岸戦争を非難した。しかし、ひとたび実験台に戻れば、スレイブたちは互いに熾烈なライバルでもあったのだ。

トポロジーの科学

当時、私たちが捜し求めていたのは、膵臓の細胞の中にある特殊なタンパク質だった。

膵臓は大きくわけると二つの働きをしている。ひとつは大量の消化酵素を生産して消化管に送り出す作業（外分泌）、もうひとつは血糖値を監視してそれを調節するホルモン（インシュリンやグルカゴン）を血液中に送り出す作業（内分泌）である。いずれも、細胞の内部で作られた消化酵素やホルモンが、細胞の外（消化管や血管）へ送り出されるという現象だ。

これは実際、このようにさらりと説明できるほど簡単なことではない。なぜなら細胞は、細胞膜というしなやかできわめて薄く、しかしとても丈夫なバリアーで覆われた球体であり、これによって細胞内部の生命環境は、外部環境から厳重に隔離されている。細胞膜は一種のシールド（防御壁）として存在するので、外部の物質は容易に細胞内部へ侵入することができない。そのかわり、細胞内部の物質もそう簡単には――たとえば、細胞膜を突き破るような様式では――、外部に出ることができない。もし、そんなことが起これば、外部環境から一挙に雑多な物質が流入し、内部環境からは重要な物質がどんどん流出することになり、生命の秩序は一瞬にして崩壊する。

それゆえ、細胞の内部から外部へ物質が〝分泌〟されるためにはきわめて精妙なメカニズムが働いているに違いない。

これは細胞の動的なありようを理解するうえでとても重要なことだった。万一、この分泌メカニズムが円滑に進まないと、栄養素を分解するための消化酵素が不足したり、あるいはインシュリンが十分、血液中を循環しなくなることが予想される。そのような事態が起こればたちまち生命は変調を来すだろう。分泌の障害は、発育不良や糖尿病のような疾患の主要な原因となっているかもしれない。

このような着眼点を持って細胞の動態を調べようとしたのは、むろん、私たちが初めてではない。ここには細胞生物学という一大研究分野があり、数多くの先人たちの努力があった。

細胞生物学とは、一言でいえば「トポロジー」の科学である。トポロジーとは、一言でいえば「ものごとを立体的に考えるセンス」ということである。その意味で、細胞生物学者は建築家に似ている。

パラーディのターゲット

話はしばし、ボストン・ハーバード大学からニューヨーク・ロックフェラー大学へ戻る。

一九六〇年代から七〇年代にかけて、ロックフェラー大学は細胞生物学のセンター・オブ・エクセレンス（研究の世界的な中枢）であり続けた。その中心人物がジョージ・パラーディである。彼はルーマニア出身の研究者で、俳優のマルチェロ・マストロヤンニを思わせる渋みのある風貌をしていた。パラーディが取り組んだ課題は、細胞の内部で作られたタンパク質は、どのような経路で細胞の外に出るかを〝可視化〟しようというものであった。

パラーディがこの研究のために選んだのは膵臓の消化酵素産生細胞だった。生物学の課題を明らかにしようとする際、たとえ、その課題がどの細胞にもあてはまる共通の機構であるとしても（そして、共通の機構であるほど生物学的な重要性も高いといえるわけだが）、その課題を解析するためのモデルとして、どの細胞を選ぶかはきわめて大切なことである。

まず、観察しようとする現象がさかんに起こっている細胞であることが必要だ。むしろ、その現象を専門に行っているような細胞があればそれに越したことはない。細胞の構造がその現象に特化されているはずで、それだけ観察も容易になる。

次に大事なことは、そのような細胞がいつでも、容易に、かつ大量に入手できなければならない、ということである。個体の中にごくわずかしかない細胞だったり、あるいは量があっても他の細胞群と近接していたり混じりあったりしていると、その細胞を実験材料として取り出してくるだけで多大な労力と時間がかかる。それはその分、細胞にダメージや好ましくない人為的な影響を与えることにもなる。

膵臓の消化酵素産生細胞は、パラーディにとって願ってもないモデル細胞だった。まず、この細胞はごくありきたりの細胞である。膵臓の全細胞のうち約95%を占める。残りの5%が、インシュリンなどのホルモンを産生・分泌する細胞である。つまり膵臓はほぼ消化酵素産生細胞の塊といってよい。それだけ消化酵素を作り出すのは大仕事なのである。

次に、この細胞の消化酵素産生能力が驚くほど高いということがあった。消化酵素はすべてタンパク質でできている。この細胞は、毎日毎日、大量の消化酵素タンパク質を合成し、それを消化管へ分泌している。その生産量は、泌乳期の乳腺（哺乳動物のミルクを生産する細胞組織）をも凌駕する。つまり膵臓の消化酵素産生細胞は、身体の中で最も特化した分泌専門細胞なのである。

なぜ、膵臓がかくも大量の消化酵素を、大量の細胞によって作り出しているかといえば、それはとりもなおさず「流れ」をとめないためである。ルドルフ・シェーンハイマーが、標識したアミノ酸を使って明らかにした生命の動的な平衡状態。これは絶え間のないアミノ酸の流入と体タンパク質の合成・分解が、生命現象の真ん中を貫いてとうとうと流れているというものだった。大量の消化酵素はこの流れを駆動する実行部隊であり、膵臓は日々、黙々と新兵をリクルートし続けているのである。

タンパク質の流れを可視化する

膵臓の細胞は、確かに、絶えず大量のタンパク質を作り出し、それを細胞外に送り出している。つまり、細胞の内部にも「流れ」が存在している。しかし、その「流れ」をどのように可視化したらよいのだろうか。

パラーディの武器は二つあった。ひとつは電子顕微鏡である。この顕微鏡の超高倍率を使えば、細胞ひとつを視野いっぱいに捉えることが可能となり、その中の微細構造も手に取るようにわかる。問題は、この中をタンパク質がどのように流れているかを知る手立てであった。

おそらくジョージ・パラーディは、ルドルフ・シェーンハイマーのことを確実に知っていたに違いない。アミノ酸を標識すること。暗く濁った大河の水面からは、一見、その流れの規模と速さを見て取ることができない。シェーンハイマーはそこへ一瞬だけ、色のついたインクを流すことによって、それを可視化したのだった。同じことは、膵臓の細胞内の流れに対しても適用できるはずだ。しかも、電子顕微鏡下の解像度を保ったままで。パラーディはそう考えたのである。

彼らは実験動物の膵臓を摘出し、それを温かい培養液の中に浸漬（しんせき）した。酸素と栄養が供給されていれば膵臓の細胞はそのまま生きつづけ、消化酵素を合成、分泌しつづける。パラーディは、この培養液の中に、鮮やかなインクを一瞬だけ流し込んだ。このとき、彼が使ったのが、もうひとつの武器、放射性同位元素と呼ばれるインクだった。シェーンハイマーの時代から二十年、この手法はますます改良され、アミノ酸はシェーンハイマーが用いた重窒素だけでなく、炭素、イオウなどの放射性同位元素でラベルできるようになっていた。

このインクはもちろん普通の意味では見ることができない。しかし、放射性同位元素が発する微弱な放射線を追うことによって、ラベルされたアミノ酸を取り込んだタンパク質の存在場所を特定することができる。

パラーディの方法の妙は、放射性同位元素でラベルしたアミノ酸を〝一瞬〟だけ、膵臓の細胞に与えた、という点にある。一瞬とは、実際の実験レベルでは五分程度の時間である。このあと膵臓細胞が浸かっている培養液は直ちに交換される。新しい液には、放射性同位元素でラベルされていない、通常のアミノ酸が含まれている。膵臓の細胞自体は、同位元素ラベルアミノ酸と通常アミノ酸を区別することができない。培養液中のアミノ酸を吸収し（細胞膜にはアミノ酸だけが通過できる特殊なゲート（穴）が存在している）、黙々と消化酵素タンパク質を合成する。

では、パラーディの実験の最中に起こったことは一体何か？　それは、放射性同位元素でラベルされたアミノ酸が与えられた五分の間に合成された消化酵素タンパク質だけが「標識された」ということである。水面に落とされたインクは色の帯となって、流れを見えるものにする。ある瞬間だけ標識された消化酵素タンパク質の帯は、細胞の中を移動しながら、その経路を可視化してくれるはずである。それを追跡すれば、細胞の中から外へ、タンパク質がどのように出てくるのかがわかることになる。

パラーディはその可視化の方法として次のようなテクニックを用いた。ラベル後、膵臓の細胞は経時的にすこしずつ培養液から取り出され、化学的に〝固定化〟される。この瞬間、細胞は生命活動を停止するが、その形態は保存される。細胞内のタンパク質分子もその場所に釘付けされる。このようにして、膵臓細胞に五分間、同位元素ラベルアミノ酸を与えた後、培養液を更新してから、さらに五分後、十分後、二十分後、という具合に、細胞サンプルが取り出される。

これを電子顕微鏡で観察するのだが、その際、パラーディは細胞をそっとX線フィルムの上に乗せた。X線フィルムの表面には薄く銀粒子が塗布されている。細胞の特定の場所に、放射性同位元素で標識されたタンパク質が存在すれば、そこから発せられる微弱な放射線は、フィルムの銀粒子にあたってそれを黒く変色させる。これは、カメラの銀塩写真フィルム感光の原理とまったく同じである。これを、つまり細胞とそれを乗せたX線フィルムをそのまま同時に電子顕微鏡によって観察する。

するとどのような像が見えるだろうか。視野には膵臓の細胞が一杯に広がる。そして透明な細胞を通して、よく眼を凝らして見れば、下に敷かれたX線フィルム上に黒い点が見えるはずである。その場所こそが、タンパク質の存在する地点なのである。

内部の内部は外部である

こうしてジョージ・パラーディは、ロックフェラー大学の地下室に備え付けられた電子顕微鏡を通して、初めて、細胞内タンパク質の交通を明らかにした。

標識タンパク質の黒い点は、まず細胞内の小胞体と呼ばれる区画の表面に現れた。ここがタンパク質の合成現場なのである。アミノ酸が逐次、連結されて消化酵素が作り出されていく。不思議な現象は次の時点の観察像から得られた。タンパク質の存在場所を示す黒い点は、小胞体の内側に移動していたのである。

パラーディは、この移動がもたらすトポロジーの変位をたちどころに見抜いた。

内部の内部は外部である。

ひとつの細胞を、薄い皮膜で覆われたゴム風船のようなものとしてイメージしていただきたい。風船の内側で生命活動が営まれる。実際の細胞の内部は、しかし、風船のような完全ながらんどうではない。たとえば、DNAを保持している「核」、エネルギーを生産する「ミトコンドリア」といった区画が存在している。小胞体もそのような区画のひとつである。ちょうど、それはゴム風船の内部に存在する別の小さな風船である、と思ってもらえばよい。小胞体もまたゴム風船と同じ素材の皮膜に覆われて、ゴム風船の内部に浮かんでいる。

パラーディの観察によれば、タンパク質の合成は、まずこの小胞体の表面で行われていた。ここでいう表面とは、小さな風船（＝小胞体）の外側、つまり大きな風船（＝細胞）の内側という意味である。ここから先、読者はトポロジーを見失わないように文章を追っていただきたい。

次の瞬間、合成されたタンパク質は、小さな風船（＝小胞体）の内側に移動していたのである。このような移動が起こるためには、タンパク質は何らかの方法で、小さな風船（＝小胞体）の皮膜を通過して、内側に入り込む必要がある。その方法は当時、パラーディにも知るすべがなかった。が、事実として、タンパク質は小胞体の内部に移行していた。

小さな風船（＝小胞体）の内部とは、大きな風船（＝細胞）にとって一体何に当たるだろうか。それは外側に当たるのである。つまりタンパク質は、小胞体の皮膜を通過してその内部に移行した時点で、トポロジー的には、すでに細胞の外側に存在しているのだ。

この一見、奇妙なロジックを納得していただくためには、小胞体の出自をたずねるのがよい。小胞体はどのようにしてできたのか。それには、大きな風船のゴム皮膜に対して、風船の外側から握りこぶしを突っ込んで陥入させた様子を想像してみてほしい。握りこぶしの周りにはゴム皮膜がへばりつき、握りこぶし自体は風船の内部に入っているように見える。けれども、握りこぶしが存在する空間は外側と通じている。

小胞体はちょうどこのような方法で形成された。まず、細胞膜を陥入させておいて、その入り口の部分、つまり手首の部分を徐々にせばめていって絞り込み、最終的にはそこをくびれとる形で分離したものである。その結果、小さな風船が大きな風船の内部に遊離する。それゆえに、小胞体の内部は、もともと細胞にとって外部であった空間なのだ。

もちろん、タンパク質は小胞体の内部に入っただけでは、まだ実際に細胞の外に出ることはできない。しかし、細胞の外へ放出されるために、タンパク質はもう二度と皮膜（＝細胞膜）を通過する必要はない。それは、続くパラーディの観察によって証明された。

合成されたタンパク質を内包した小さな風船（＝小胞体）は、すこしずつ形を整えながら大きな風船（＝細胞）の内部を横切るように移動する。そして小さな風船の皮膜は、大きな風船の端で、大きな風船の皮膜と接触する。このとき起こることは先ほど見た小胞体の形成過程の逆バージョンである。接触した二つの皮膜は溶け合って融合し開口部となる。するとそこに生じるのは、ちょうど風船に手首を押し込んだときにできるような、小さな絡路(らくろ)をもつ陥入形だ。その瞬間、小さな風船（＝小胞体）の内部は、外界と通じる。小胞体の内部に溜め込まれた消化酵素タンパク質は、この絡路を通して細胞外へと放出される。

内部の内部は外部

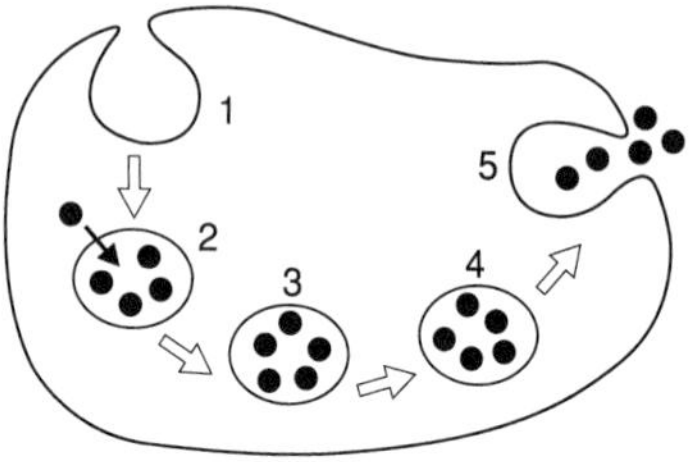

※細胞は薄い皮膜（細胞膜）で覆われている。その一部が陥入し（1）、細胞の内側に区画を作る（2）。この区画（小胞体）の内部は、トポロジー的に、内側の内側、つまり外側である。分泌されるべきタンパク質（●）は、細胞内部で合成されたあと、小胞体の膜を通過して小胞体内部に入る（2）。この区画は細胞内を移動し（3、4）、最終的に、細胞の膜と一部融合して、再び外界とつながる（5）。タンパク質は、この通路を経て外側に放出される。

もうひとつの内部がある理由

細胞は、内部で作り出されたタンパク質を細胞の外部へ運び出すために、直接、細胞の皮膜を開閉する危険を避けたかった。それをすれば内的環境が外部環境に晒される瞬間を作ることになるからだ。そのかわり、細胞はあらかじめ細胞の内部に、もうひとつの内部を作った。それが小胞体である。

トポロジー的に、内部の内部は外部となる。タンパク質を小胞体の内部（＝細胞の外部）に運び込むためには、小胞体の皮膜をタンパク質が通過する必要がある。しかし小胞体皮膜の開閉は、細胞膜の開閉に比べればずっと危険度が低い。なぜなら小胞体の内側はトポロジー的には細胞の外部ではあるものの、実質的にはまだ細胞に内包された区画に過ぎないからである。小胞体内部の環境が、細胞内部に漏れ出る事故が生じても、それは細胞に外部環境が無秩序に流入するわけではない。

このようにして細胞は、最小限のリスクによって細胞内と細胞外の交通を制御するすべを作り上げたのである。

パラーディの研究は、細胞内部に展開するこの動的な交通をつまびらかにした。ここでもまた生命は不断の流れを作り出していたのである。ルドルフ・シェーンハイマーと同じく、パラーディは解像度を緩めることなく、部分ではなく全体を記述したのだ。

〝細胞の構造的・機能的構成に関する発見に対して〟、一九七四年、ジョージ・パラーディは、同じくロックフェラー大学の二人の共同研究者、アルバート・クラウド、クリスチャン・ド・デューブとともにノーベル医学生理学賞を受賞した。ロックフェラー大学の細胞生物学研究が最も輝いていた時代だった。

ロックフェラー大学で私が研究生活を始めた当時、すでにジョージ・パラーディはそこにはいなかった。彼は、イエール大学医学部、ついでカリフォルニア大学サンディエゴ校に移って学部長レベルの行政職についていた。

私が働いていた研究室の片隅に古びた踏み台が転がっていた。試薬棚の高い場所から薬品を取るときに使う円形のスツールのようなものである。その側面には、フェルトペンで“PALADE LAB”という文字が書かれていた。私はそれを発見して嬉しくなった。そう、この踏み台は、いまや薄汚れてはいるものの、パラーディをはじめとする偉大なる先駆者たちの足跡を宿した、まぎれもない歴史の遺物なのだ。

日本から拙(つたな)い手紙を書いて求職してきた、どこの馬の骨とも知れない私をロックフェラー大学に雇い入れてくれたジョージ・シーリー博士は、パラーディの弟子の一人である。つまり、私は、名も無い研究者の卵とはいえ、パラーディの孫弟子に当たるのだ。

私は、その踏み台をひそかにとりこんで自分だけの宝物とし、シーリー博士が、我々ポスドクを引き連れてハーバード大学医学部に研究室を移したときもボストンへ持っていった。私たちは、パラーディの正統な継承者として、研究材料に膵臓の細胞を選んだ。そして私たちは、パラーディの正統な継承者として、彼が遺り残した研究テーマに挑んだ。それは、細胞膜が、いかにして、ある時は陥入して小胞体を形成し、ある時はタンパク質を包み込んで移動し、またある時は融合して開口部を作り、かくも変幻自在に形を変えることができるのかという課題であった。

第12章　細胞膜のダイナミズム

ニューヨークの振動

ニューヨークからボストンに研究室を移動した私は、しばしば、マンハッタンを懐かしく思い出した。マンハッタンの光と風。もちろんボストンも東海岸特有の高くて澄んだ空が広がる都会である。ある意味ではより美しい街ともいえる。ハーバード大学に集う同僚は皆すばらしい人たちだった。私は毎朝、廊下で新しい挨拶の表現を知り、巨大なワイドナー図書館の書庫を探検し、ユニオン・オイスター・ハウスでボストン・クーラーを飲み、フェンウェイパークでレッドソックスを応援し、シンフォニーホールの硬い木の座席でオザワの指揮を聴いた。

しかし、この街には、ニューヨークで私を鼓舞してくれた何ものかが欠けていると感じられた。

ボストンに住んでしばらくたったある日、私は徹夜実験を終えて実験棟から早朝の街路に出た。芝生はしっとりと朝露を含み、透き通った空には薄い雲が一筋たなびき朝焼けの茜色に染まっていた。あたりは静けさに包まれていた。

そのとき、ニューヨークにあってここに欠落しているものが何であるかが初めてわかった。それは振動（バイブレーション）だった。街をくまなく覆うエーテルのような振動。

誰もが急ぐ舗道の靴音、古びた鉄管をきしませる蒸気の流れ、地下に続く換気口の鉄格子から吹き上がる地下鉄の轟音、塔を建設する槌音（つちおと）、壁を解体するハンマー、店から流れ出る薄っぺらな音楽、人々の哄笑、人々の怒鳴り声、クラクションとサイレンの交差、急ブレーキ……。

マンハッタンで絶え間なく発せられるこれらの音は、摩天楼のあいだを抜けて高い空に拡散していくのではない。むしろ逆方向に、まっすぐ垂直に下降していくのだ。マンハッタンの地下深くには、厚い巨大な一枚岩盤が広がっている。高層建築の基礎杭はこの岩盤にまで達している。摩天楼を支えるため地中深く打ち込まれた何本もの頑丈な鋼鉄パイルに沿って、すべての音はいったんこの岩盤へ到達し、ここで受け止められる。岩盤は金属にも勝る硬度を持ち、音はこの巨大な鉄琴を細かく震わせる。表面の起伏のあいだで、波長が重なりあう音は倍音となり、打ち消しあう音は弱められる。ノイズは吸収され、徐々にピッチが揃えられていく。こうして整流された音は、今度は岩盤から上に向かって反射され、マンハッタンの地上全体に斉一的に放散される。

この反射音は、はじめは耳鳴り音のようにも、あるいは低い気流のうなりにも聴こえる。しばしば、幻聴のようにも感じられる。しかし街の喧騒の中に、その通奏低音は確かに存在している。

この音はマンハッタンにいればどこででも聴こえる。そして二十四時間、いつでも聴こえる。やがて音の中に等身大の振動があることに気がつく。その振動は文字通り波のように、人々の身体の中へ入っては引き、入っては引きを繰り返す。いつしか振動は、人間の血液の流れとシンクロしそれを強めさえする。

この振動こそが、ニューヨークに来た人々をひとしく高揚させ、応援し、ある時には人をしてあらゆる祖国から自由にし、そして孤独を愛する者にする力の正体なのだ。なぜならこの振動の音源は、ここに集う、互いに見知らぬ人々の、どこかしら共通した心音が束一されたものだから。

こんな振動を放散している街は、アメリカ中、ニューヨーク以外には存在しない。おそらく世界のどこにも。

実験で遅くなると窓のない研究室を出て、外の空気が吸える場所に行き、私はしばしボストンの夜空に耳を澄ませた。どこからか通奏低音が聴こえるのを待った。時折何かが聞こえてはきた。自動車の通り過ぎる音、夜風が葉裏をこする音、道路を横切る足音。けれども常に夜のしじまは静かにすべてを包み込み、やがて圧倒していった。

細胞膜のなぞ

静かすぎるボストンにおける私のミッションは、新種の〝蝶〟を採集することに似ていた。

細胞を取り囲み、細胞を守り、その内部に動的な平衡を包み込む細胞膜。細胞膜の主成分はリン脂質という分子である。これが隙間なく整列しながら二次元的に広がって、均一な厚みをもつ、丈夫でしかし柔軟な、薄い皮膜を形成する。細胞膜の薄さはたった七ナノメートルである。

リン脂質を使って試験管内で人工的に細胞膜を作り出すことができ、これを球状に成型することも可能だ。もちろん生きた細胞と違って生命現象を内包しているわけではない。単なる「風船」である。

この風船をたくさん試験管に入れ、かき回す。温度を上げて熱運動をさかんにして接触や衝突する頻度を上げてやる。しかし風船はたとえ互いに激しくぶつかり合っても、決して融合して大きな風船になることはない。まして一部がくびれて内部に外部を作り出すこともない。個々の風船は風船のままでいる。つまり細胞膜はそれ自体、きわめて安定な構造体なのである。これはバリアーとして当然の特性でもある。

ところが、この薄い皮膜は生物の内部にあっては、あるときには内向きに陥入して細胞の内部に小胞体という区画を作る。すなわち細胞の内部に外部を作り出す。また別のときには、小胞体皮膜は細胞の外側を包む皮膜と融合する。これら細胞膜の運動は、早い場合には秒単位で、しかも自由自在に起こりうる。

私たちのメンター、ジョージ・パラーディが私たちに遺した宿題はこうである。

物理化学的にはきわめて安定で不活性ですらある細胞膜が、生物学的にはなぜかくもダイナミックかつ高速に変化変形しうるのだろうか。

この問いに対して、〝観念論的に〟答えるのは簡単である。細胞膜の内や外、あるいはその周縁には、目に見えない微細な精霊たちが常に飛び交っており、彼ら彼女らが、あるときは膜を押しあるときは引き、また別のときは手に手をとってそれを束ね、くびれさせ、さらにはくっつけ合わせているのである、と。

ではこの問いに対し、〝実在論的に〟答えるにはどうすればよいだろうか。それはこうである。

細胞膜の内や外、あるいはその周縁には、微細なタンパク質が多数存在し、常に細胞膜と相互作用を起こしている。タンパク質はそれぞれ固有の構造に由来する相補性を有している。その相補性によって、あるタンパク質がリング状の環を形成すれば、柔らかな細胞膜はくびれ取られるだろう。小胞体膜に結合したタンパク質Aが、細胞膜に結合したタンパク質Bとの間に、鍵と鍵穴に似た特異的な結合を起こせば、小胞体膜のその部分は、細胞膜の特定の部分に引き寄せられるだろう。また別の、膜結合型のタンパク質群が細胞膜の内側に沿って、その相補的関係に基づくカゴ状のネットワーク構造を形成すれば、細胞膜は、カゴに要所要所を糸で結ばれてかぶさる薄い布のごとく、あるときは球面に、あるときはアミーバ様の不定形に、ときには赤血球のような特徴的なくぼみを持つ曲面をとることになるだろう。

つまり精霊たちが結びあう手とは、すなわちタンパク質の形なのであり、生命現象が示す秩序の美は、ここでもまた形の相補性に依拠しているのである。

そしてパラーディは次のようにいうのだ。さあ行け、行ってくまなく探すのだ。探し出してその形を記載せよ。そうすればおまえは細胞という大伽藍の構築原理を知る初めての人間(アーキテクト)になる、と。

多様で精妙な膜動態

ジョージ・パラーディが、膵臓を電子顕微鏡で覗いたときまず目に飛び込んできたのは、台形をしたこの細胞のほぼ上半分を満たす多数の顆粒(かりゅう)だった。

顆粒はいずれも大きさと形の揃ったほぼ完全な球形であり、その内部は真っ黒だった。電子顕微鏡下で黒く見えるものは、電子線をそれだけ吸収するものがぎっしり詰まっていることを意味する。彼のその後の研究から、球形の顆粒の内部にはタンパク質が充填されていることがわかった。それは膵臓が作り出し、消化管へと分泌される消化酵素群である。

パラーディが明らかにしたことは、細胞外へ分泌されるべきタンパク質は、細胞内で合成される際、まず小胞体の内側へ送り込まれるということだった。小胞体の内側とは、細胞の内部に存在する〝外部〟となる。分泌タンパク質は最初ここに封じこめられる。そのあと、小胞体膜の一部が膨らんで、コブのように出芽してくる。分泌タンパク質(ここでは消化酵素）は、このコブの内部に詰め込まれる。コブはやがて小胞体膜からくびれ取られるように離脱し、それ自体で独立した球体となる。

　球体の表面は、小胞体膜に由来する膜で覆われ、その内部には分泌タンパク質が内包されている。その後、いくつかのプロセスを経て、この球体は細胞内部を移動しながら、台形をした膵臓細胞の上辺部分へと参集してくる。この部分は膵臓の細胞にとって、消化管へとつながる分泌管に面した頭頂部にあたる。つまり膵臓の細胞は、アミーバのような不定形のものではなく、ちゃんと上下前後左右を持っているのだ。パラーディの観察した黒

タンパク質の分泌プロセス

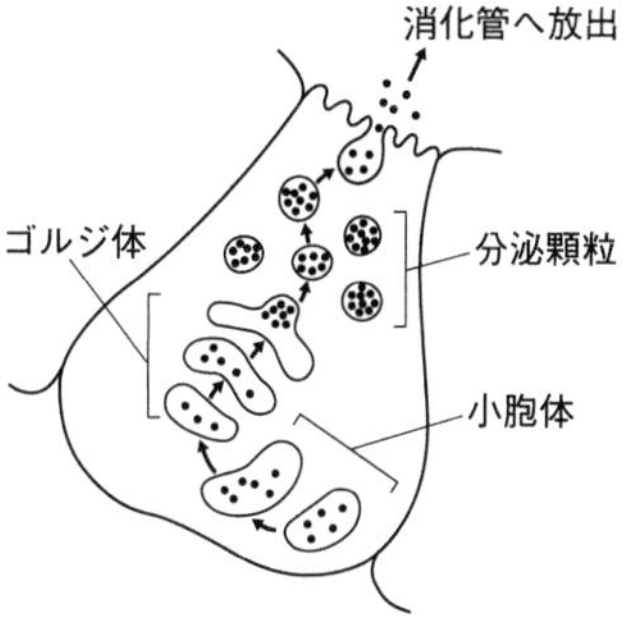

※200頁の図はトポロジーの概観を示した略図だったが、実際は分泌されるべきタンパク質（この場合、消化酵素）はまず“内部の内部”である小胞体内に入り、そのあとゴルジ体という区画を経て、分泌顆粒に充填される。私たちが注目したのはこのプロセスだった。

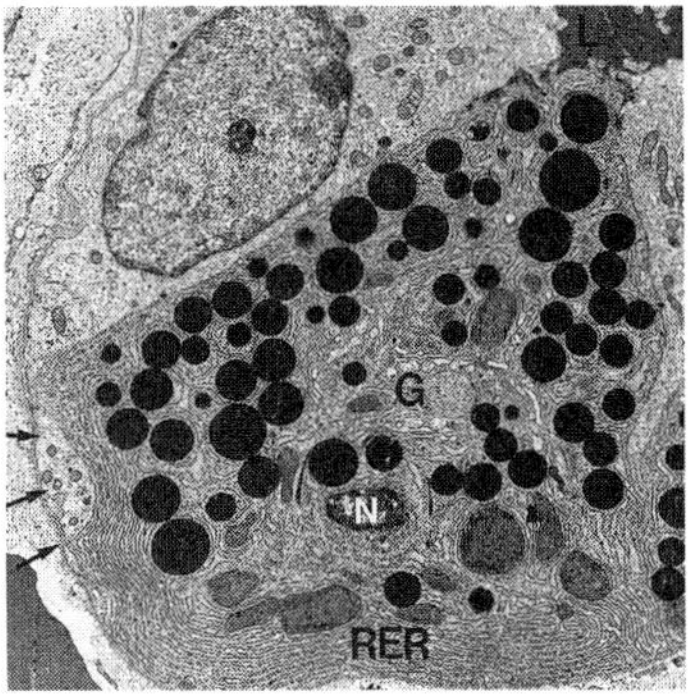

膵臓細胞の電子顕微鏡像
※黒い球状に見えるのが分泌顆粒。Nは核、RERは小胞体、Gはゴルジ体、Lは消化管に通じる管腔、矢印は分泌を刺激する神経終末。
(撮影／筆者)

色の顆粒はまさに、ここに集った、消化酵素タンパク質を蓄えたこの球体群だったのである。

ついでこの場所で劇的なことが起こる。球体を包む膜の一部と、細胞全体を包む膜の一部が接近し、接吻を交わした次の瞬間、膜同士が融合を果たすのだ。すると球体の内部と外界に絡路が開き、空間がつながる。つまり細胞の内部にあった外部が、本当の外部へと開口するのである。こうして消化酵素は細胞外へと、すなわち消化管に向けて放出される。

私が、読者諸兄の食傷を承知で、ここであえてこまごまと細胞の内部プロセスを繰り返したのは、細胞内部で作られた消化酵素が細胞外に出るまでに、いかに多段階の膜動態が関与しているかをあらためて知っていただきたかったからである。膜の出芽と離脱、球体の形成、細胞内移動、特定の細胞膜領域への移動、細胞膜への接近、接触、膜融合、そして開口。もしこの小さな球体を覆う膜が単にリン脂質からなる薄い膜だとすれば、決して起こることのないダイナミズムが次々と、こともなげに、しかし見事なまでに精妙に進行しているのである。

そして、もうひとつ知っていただきたいさらに重要な事実は、そのダイナミズムがすべて、この小さな球体を覆う膜の上に存在するタンパク質が持つ、形の相補性によって実現されているはずだということである。

そうであるならば私たちが、〝蝶〟を探すべき島はおのずと限定されることになる。

未知の〝蝶〟を求めて

アゲハチョウの中ですばらしいのは、赤道直下の太平洋諸島に分布するトリバネアゲハの一群である。なかでもメガネアゲハと呼ばれる種は、サングラスのような黒い優美な曲線の文様を地として、金属光沢の帯図案がその大型の羽に輝いている。ほとんど同じ意匠であるにもかかわらず、その金属光沢は棲息地域によってくっきりと塗り分けられている。エメラルドグリーン、コバルトブルー、もしくはマンゴーオレンジ。まるでブランド腕時計のカラーバリエーションのように魅力的な品揃えである。

熱帯雨林の高い梢の間を軽やかにすり抜けて輝きながら飛翔する新種の大型アゲハチョウを、世界で初めて発見し捕虫網の中に収める。彼の背中を駆け上がった鋭い興奮はいかばかりのものだっただろうか。三通りに染め上げられたトリバネアゲハに与えられた学名の末尾には、その発見者の名前が誇らしげに記載されている。

Troides (Ornithoptera) priamus priamus LINNÉ（エメラルドグリーン型）
Troides (Ornithoptera) priamus urvillianus GUÉRIN（コバルトブルー型）
Troides (Ornithoptera) priamus lydius FELDER（マンゴーオレンジ型）

トリバネアゲハを追った博物学者が求めたのは、とりもなおさず世界の構造を明らかにすることに他ならなかった。一体なぜ自然はかくも精緻な造形をなしえるのだろうか。その何故を解くために彼らができることはただひとつ、妙技のいちいちを記載していくことだけであり、彼らは実際それをくまなく探し出そうとした（いうまでもなく、ここで彼ら博物学者が行った「発見」とは、西欧社会による自然の〝再〟発見ということにすぎない。しかし、その問題はここではひとまず措くことにしたい）。

大げさないい方を許していただくとすれば、そして私たちが採集しようとした小さな小さな、そして色のないジグソーパズルのピースを、極彩色のアゲハチョウと比べる不遜さを今だけ見過ごしていただくとすれば、新しい未知のタンパク質を捉えようとしていた当時の私たちの内部に沸き起こっていた感覚は、ボルネオやニューギニアの密林を踏破した採集者たちの興奮と同質のものだったのである。私たち分子生物学者もまた世界の構造を知りたかったのだ。

タンパク質を「採集」する方法

さて、新しいタンパク質を「採集」し、それを「記載」するとは一体どんな作業を指すのだろうか。

私たちはまず、細胞膜のダイナミズムを司っているタンパク質は、膵臓細胞の中に多数存在する、消化酵素を内包する顆粒の膜上に結合していると考えた。つまり蝶の採集地をこの球体に定めたわけである。そこで細胞の中から顆粒だけを集めてくる方法を探った。

膵臓細胞を顕微鏡で見るとその大きさは高さ十マイクロメートル、上辺十、下辺三十マイクロメートル程度の台形であることがわかる。厚みも三十マイクロメートルほどある。この中に、消化酵素を詰め込んだ、直径一マイクロメートルの球形顆粒が多数存在している。

化学的に、一番外側の細胞膜を溶かす薬剤はいくらでも存在する。これで処理すれば細胞は壊れ、細胞内の成分はすべて流れ出てくる。しかし細胞内の小胞体やそれに由来する顆粒類もまたすべて細胞膜と同じ膜で作られた構造なので、細胞膜を溶かす薬剤は、小胞体や顆粒をも溶かしてしまう。したがって化学的な方法は使いがたい。原始的だが、このような場合有効なのは物理的破砕、つまり細胞をすりつぶすという方法である。

そのすりつぶし方にミソがある。ガラスの試験管の中をテフロン製のピストンが上下できる器具がある。ピストンはガラスの筒の内径にピタリと合うように作られている。しかし正確にいえば、テフロンピストンは精密な研磨によって、ガラスの筒との間に非常に微小な隙間を持つように設計されているのである。その隙間はおよそ二十マイクロメートル程度。

このガラス試験管に膵臓細胞を生理食塩水（生体内で細胞が浸かっている環境を模した溶液）とともに入れる。そして上からテフロンピストンをじわじわと下ろしていく。圧力をかけられた生理食塩水は、細胞もろとも逃げ場を求めてガラス筒とピストンとの微小な隙間に殺到する。しかし、この隙間は、細胞が無傷のまま通りすぎるには狭すぎるのだ。その結果、細胞はすりつぶされる。しかし、細胞内の小器官、特に直径が一マイクロメートルしかないような球形の顆粒はほとんどがそのまま通過することができる。

ピストンの上下動をゆっくりと数回、繰り返すうちに、細胞はことごとく壊されてしまう。一方、細胞の中にあった小器官は無傷のまま食塩水中に分散されることになる。

とはいえこの段階で食塩水中にあるのは、細胞内にあった顆粒だけではない。細胞よりずっと小さな細胞内小器官、つまり、核やミトコンドリア、小胞体やゴルジ体、そしてすりつぶされた細胞の膜断片など雑多なものの混合物である。この中から顆粒だけをよりわけてこなければならない。

ここで威力を発揮するのが遠心機という装置である。強化プラスチックで作られた試験管をローターと呼ばれる鋳鉄製の円錐台の中に放射状にならべる。ローターは強力なモーターに直結された軸に取り付けられ、密閉されたドラムの内部で高速回転される。すると試験管には遠心力によって発生した強力な重力が加わることになる。試験管内に先ほど調製した細胞小器官の混合物を入れておく。雑多な成分は、重いものほど（正確にいえば密度が高いものほど）早く沈む（試験管の底面におしつけられる）ことになる。

遠心機は、ローターのサイズ、回転数（一分間に数百回転から数万回転までがかけられる）、回転時間などが自由に設定できるようになっている。また試験管内に細胞成分とともに入れる溶液の種類も変えることができる（密度の高い溶液を使うとその分、細胞成分は沈みにくくなり、よりきめの細かい分離が可能となる）。この諸条件の組み合わせによって雑多な細胞内成分の中から目的とする特定の成分だけを純化することが可能となる。これを密度勾配遠心分離法という。

細胞内成分のうち、最も大きくて重いのはDNAを包み込む核である。そこでまずこれを選択的に沈殿させる遠心条件で集めて捨ててしまう。残りの成分の中で密度が高いのは、目的とする消化酵素を含む顆粒と、ミトコンドリアである。この二つの成分の密度は互いにきわめて近いが、顆粒の密度のほうが消化酵素を詰め込んでいるため、幾分高い。そこで遠心条件を微妙に調整してやると、試験管の底に、まず顆粒が沈殿し、その上にふわりとミトコンドリアが重層されるような状態を得ることができる。ミトコンドリアは薄い褐色をしているので、顆粒と区別できる。細長いガラスのスポイトで、慎重かつ丹念にミトコンドリア層を吸い出していく。

こうして私たちは、顆粒だけをほぼ純粋に集めることに成功した。しかしまだ採集旅行は始まったばかりだ。

さらなる精製

私たちが調べたいのは、顆粒の表面の膜に結合しているタンパク質である。これらが顆粒の膜の動態を司っているはずなのだ。つまり私たちがほしいのはミカンの皮であり、実ではない。顆粒の〝実〟とはこの場合、中味の消化酵素タンパク質のことである。

私たちは、今度は化学的な薬剤を使って、顆粒の膜を少しだけ壊した。この亀裂から顆粒内部の消化酵素が外へ流れ出るに任せる。残った皮の部分、つまり顆粒膜を生理食塩水の中にジャブジャブと何回も泳がせてすっかり消化酵素を洗い流す。こうしておいて最後に超遠心と呼ばれる非常に高速回転の遠心操作を行って顆粒膜を試験管の底に回収する。この操作は溶液中に散らばった切れ切れの顆粒膜を濃縮して集めることにもなる。

かくして膵臓の細胞の中から特別の成分、つまり顆粒膜だけを選択的に単離精製することができる。私たちは何度も試行を繰り返して最適な精製条件を決定した。

精製の出発材料はむろん大型の動物の膵臓を用いるに越したことはない。マウスやラットといった小型の実験動物は飼育しやすく扱いやすいが、今後の実験に必要な量の顆粒膜を集めるためには、大量の動物をあやめねばならない。私たちは精製を行うにあたってイヌの膵臓を用いることにした。イヌ一匹の膵臓は、マウス百匹分に相当する。

実は、私たちの研究フロアの下の階には、ハーバード大学医学部の名だたる心臓研究チームが陣取っていた。彼らは毎日のようにイヌを実験台につかって心機能のデータを取っていた。まったく哀れなことではあるが、その日、彼らの実験が終了すると、心臓や血管に何本ものチューブや電極を埋め込まれたかわいそうなイヌはそのまま安楽死によるご臨終に至る。その直前、待機していた私の部屋にボストンなまりの内線電話がかかってくる。

"Shin-Ichi, we've done. Are you ready?"

氷を満たしたクーラーボックスを担いで私は階段を駆け下りた。摘出されたばかりの膵臓はまだ生温かく、大きなピンク色のタラコのように見える。私はすばやくスキー用のダウンジャケットを白衣の下に着こんで気温4℃の低温室に入る。細胞へのダメージを最小限に抑えるため、すべての精製プロセスは低温下で行わなければならないからだ。

第13章　膜にかたちを与えるもの

ライバルチームとの競争

　私が所属していたハーバード大学医学部の研究棟は、ボストン中心部から路面電車で西方へ十五分ほど移動したロングウッドと呼ばれる地域にあり、複数の病院とともにメディカルエリアを形づくっていた。

　近くには他の大学や高校などもあり、それらの建物群を花綵(はなづな)のように細い遊歩道が結んでいた。遊歩道に沿って水路と植栽があり、道はところどころで石橋によって水路と交差しては一方の岸から他方へ移行していた。後に知ったことだが、これはニューヨーク・マンハッタンのセントラルパークをデザインして〝都市景観〟という概念を作り出したF・

L・オームステッドのランドスケープ計画で、ボストン市街を縁取る緑(エメラルド)のネックレスと呼ばれる作品だった。

この遊歩道をたどると研究棟からほど近い場所に、イザベラ・スチュワート・ガードナー美術館が建っていた。ボストンに生活するようになって数ヵ月、こぢんまりとして上品なこのベネチア風の白い建物の前を私は幾度となく通過した。美術館の名を刻んだプレートを横目で眺めながら、しかし中に入る機会をいつも逸していた。正確にいえば、当時の私は、ゆっくり絵を眺めるような気持ちをほとんど持つことができなかったのである。

美しい蝶の発見に第二位がありえないのとまったく同様に、新しいタンパク質の発見にも第二位はない。

私たちが追いかけていた獲物に関して、少なくとも世界で三つのチームが競争に参加していることをお互いが知っていた。そして自分たちよりも先に相手チームがゴールにたどり着くかも知れないというプレッシャーにお互いが常にさらされていた。一位のチームだけが、その場所に旗を立て所有権を主張することができる。二番目のチームには何の報賞もない。

存在場所が、そのタンパク質の機能を示唆する。膵臓の消化酵素分泌細胞の中にあり、消化酵素を充塡した分泌顆粒と呼ばれる区画を取り囲む膜上にだけ存在しているタンパク質。それがこの膜のダイナミズムをつかさどっているに違いない。だからこそ私たちは苦労して膵臓から分泌顆粒の膜だけを精製し、そこにどのようなタンパク質が存在しているのかを知ろうとしたのである。

精製した分泌顆粒膜を解析してみると、そこには複数のタンパク質の存在が認められた。この時点でわかることは、そのタンパク質の大まかな大きさ（分子量）とその存在量でしかない。タンパク質はポリアクリルアミドゲルと呼ばれる薄い板の上にぼんやりとした影となって現れる。

この中に、ただひとつ突出して多く存在しているタンパク質があった。私たちはこのタンパク質をＧＰ２という無機的で控えめな名前で呼んだ。機能も性質もまだ何もわからないからである。ＧＰは、グリコ（糖）プロテインの略で、このタンパク質はアミノ酸の他に糖でできた鎖を身にまとっていることが別の分析法でわかった。ＧＰ２の２は、ポリアクリルアミドゲルに並んだ大きさの順が二番目だったからという理由にすぎない。

しかし私たちにはこのタンパク質が分泌顆粒の膜の動態に対して重要な機能を担っているはずだという確信があった。それは、このタンパク質が奇妙なふるまいをすることに気づいたからである。ひょっとするとこの点に関して他のライバルチームはまだ何も知らないかもしれない。この事実は私たちに一層のプレッシャーをもたらした。

GP2の奇妙なふるまい

細胞の内部は、通常、酸性でもなくアルカリ性でもない中性である。酸性・アルカリ性の尺度はpH（ピーエイチまたはドイツ風にペーハー）と呼ばれ、pH7が中央値で中性、pHが6や5へ下がると酸性、8や9へ上がるとアルカリ性に傾く。細胞内pHは中性より若干高いpH7・2〜7・4くらいに保たれている。一般の酵素反応など生命活動にとって最も至適なpHである。

細胞内を模した中性pHの溶液を入れた試験管にGP2を置くと何が起こるだろうか。何事も起こらない。GP2は水に溶けやすいごく普通のタンパク質としてそこにあるだけだ。ところが、GP2をpH5あるいは6という弱い酸性状態に置くとどうだろうか。GP2は試験管の底に沈んでいったのである。酸性に置かれるとGP2は、分子同士が互いに集合し大きな凝集塊となって沈殿を起こしてしまったのだ。

まったく奇妙なことに、沈殿したGP2を再び中性のpHに戻してやると、集合していたGP2分子はばらけて溶液の中に溶け込んでいく。つまりGP2はpHの中性↓酸性の変化に依存して、可溶性↓沈殿を引き起こし、しかもこの状態変化は可逆的（行き来できる）なのである。この小さな発見はしかし、私たちを大いに興奮させた。

細胞の内部に、もういちど閉じた膜で囲まれた世界として作り出された分泌顆粒の内部は、細胞にとって外部となる。そしてこの内なる外部世界のpHは、細胞内が中性であるのに対して酸性側に傾いているという事実がちょうど当時、わかりかけてきた頃だった。

もうひとつ重要な事実があった。分泌顆粒は細胞内にあって、その内部に消化酵素を蓄えている。分泌顆粒の膜はその外側を細胞の内部に、その内側を顆粒の内部に向けていることになる。つまり分泌顆粒の外側は中性pH、内側は酸性pHにさらされることになる。膜は異なるpH環境のバリアーとなっているのである。重要な事実とは、GP2がその尻尾を分泌顆粒の膜に係留して、分泌顆粒の内側すなわち酸性側にその本体を向けているという発見である。

膜に対してタンパク質がどのような方向で結合しているか。これもまた細胞生物学における重要なトポロジーの問題である。トポロジーが場所を特定し、その局在性が機能を特定するからだ。

細胞は自分自身の内部に別の内部を作ってそれを外部とした。このような区画分けはそれだけで秩序の創出となる。区画の内外で、別々の環境を作り出し、それぞれ個別の反応や活動を営むことができるからである。タンパク質のトポロジーもその役割に応じて、どちらの世界に面して生きるかが厳密に決められることになる。

分泌顆粒膜に結合しているGP2が、膜に対して外側を向いているのか、あるいは内側を向いているのかというトポロジーは〝見て〟確かめることはできないが、これを化学的に調べる方法がある。

膵臓細胞から分泌顆粒を無傷のまま取り出す手法は先に記した。この分泌顆粒に対して、タンパク質に結合する特殊な標識化合物をふりかける。ただしこの標識化合物はその性質上、分泌顆粒の膜を通り抜けてその内部に入り込むことはできない。一定時間の後、化合物を洗い流す。そうしてから分泌顆粒を壊して膜だけを精製して分析する。もしGP2が膜の外側に存在していれば、標識化合物と結合しているはずである。GP2が膜の内側に存在していれば、反応から隔離されていたので標識化合物は結合していない。かくしてGP2のトポロジーが決定された。

膜の秩序はいかに組織化されるのか

私たちがGP2を酸性pHに晒してその挙動を調べたのも、細胞の内部の内部でGP2が何をしているのか知りたかったためである。GP2は酸性pHでは互いに分子集合を起こし凝集体を形成する。ちなみにこの試験管内実験は、GP2の尻尾の部分を特殊な酵素で切断し、膜から切り離したGP2を集めて行ったものである。実際のGP2は膜にその一端をつなぎとめられている。

いま仮に、風船を持った子供たちがたくさん遊んでいる光景を想定してもらいたい。風船はGP2、風船と子供の手を結ぶ糸はGP2と膜を結びつける特殊な結合、そして子供たちは膜を構成するリン脂質群である。子供たちが風船を持ったまま前後左右に動き回れるように、GP2をつなぎとめているリン脂質も膜を前後左右に動き回ることができる。ただし運動場に遊ぶ子供たちと同様、その動きは膜という二次元平面上での移動に限られることになる。

ここから先は純粋な推理となる。細胞を構成し、その内部に区画を作る膜は本来、非常に安定した、かつ柔軟性をもった薄いシートである。それは何もしない限り不定形の、いわばアミーバ状の起伏をもったものである。秩序は、この不定形のシートから、たとえば球形の分泌顆粒膜を作り出す過程として生み出される。それには一体、いかなる力がどのような構造で働くのだろうか。

おそらく最初に起こることは、アミーバ状の不定形シートに囲まれたある区画の内部のpHが低下することから出発する。膜上に存在するプロトンポンプという特殊な装置が区画内にプロトン（水素イオン）を汲み入れることによって区画内部のpHは下がるのである。

不定形のシートは多数のリン脂質分子が二次元的に整列したものだ。この中にはGP2

を結合したリン脂質が存在するが、大多数は何も結合していないただのリン脂質だ。運動場にいる子供たちの何人かだけが風船を持っているのである。風船を持った子供たちはこの時点ではまだ他の子供たちの間に散在している。

やがてpHは6もしくは5・5程度まで下がって止まる。すると何が起こるだろうか。風船はpHの変化に応答して、その表面の化学構造がシフトし、互いに結合できるような凹凸を作り出す。風船はこの凹凸の相補性に基づいて結合を開始し、次第に二次元的な集合を形成するだろう。するとどうだろうか。いままで風船を持ってランダムに走り回っていた子供たちは風船の集合に引きずられるようにして、次第にある場所に強制的に集合させられていくことになる。

細胞の内部で不定形の膜の一部が特殊化されて、分泌顆粒膜が形成されるとき生じているメカニズムはまさにこのようなものではないか。私たちはそう考えたのである。風船の集合によって集められた子供たちは、このとき、群集の中に浮かぶ〝いかだ〟のようなものとなる。このいかだが分泌顆粒の膜を形成するのである。いかだはこの時点ではなお平面的な集合である。

ここで仮に、GP2というタンパク質が、球形の風船というよりは〝飛び箱〟のような台形構造をとっていると考えてみたい（とはいえ、飛び箱は同じ長さの糸で子供たちとつ

膜形成のメカニズム

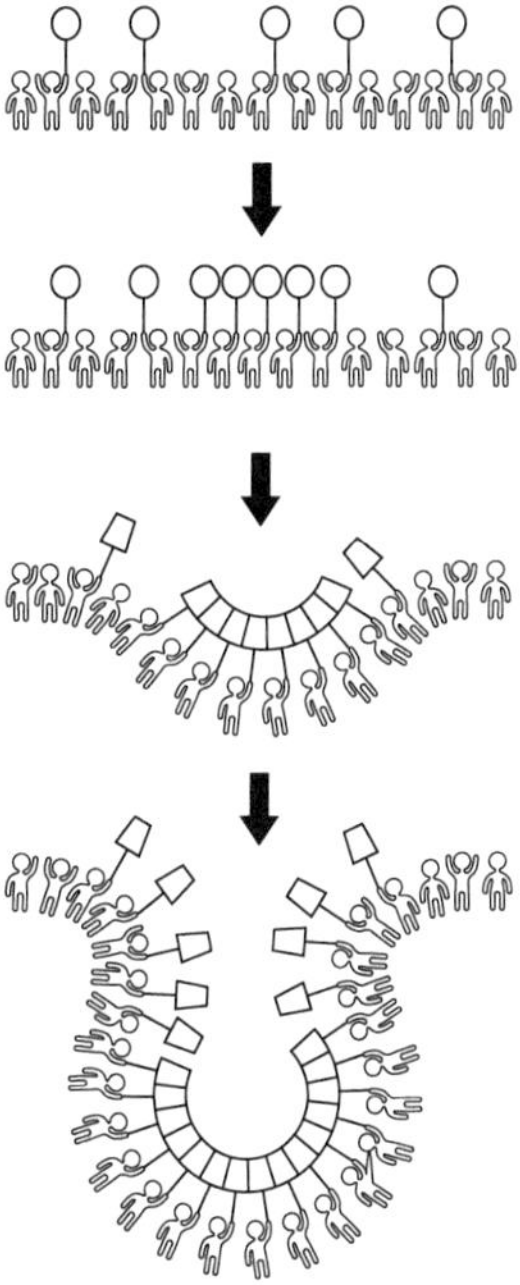

①子供（膜を構成するリン脂質）の何人かは風船（GP2）を持っている。

②pHが酸性化すると風船同士は集合して結合しだす。それにひきずられて子供たちも集められる。

③風船は実は台形をしていて、集合するにつれて曲面状にならぶ。それに沿って子供たちもふくらんでならぶ。

④風船は球状に裏打ち構造を作り、子供たちは出芽して小胞を形成する。

ながれている)。するとpHの酸性化にともなって分子集合する飛び箱は結合するにつれ、台形の辺と辺がくっつきあうことにより、平面ではなく緩やかな曲面を作っていくだろう。すると飛び箱につながれた子供たちのいかだもまた平面から膨れだした曲面を形作ることになる。

これはまさに不定形の膜の一部から、分泌顆粒になるべく出芽し始めたドームが組織化される瞬間なのである。

このプロセスがさらに進行すると、GP2は膜を丸く支える裏打ち構造となって、GP2のネットワーク構造が広がるにつれ膜はどんどん球形へと近づく。後は、この部分に分泌されるべきタンパク質――この場合は消化酵素――が充塡され、出芽した膜のドームがくびれ取られれば分泌顆粒が完成し、元の膜から離脱することになる。

私たちにはこれが実に素敵なアイデアに思えた。膜につながれたタンパク質の形の相補性によって、膜の秩序が組織化される。その動力はpHの酸性化によるタンパク質自身の構造変化である。だから分泌顆粒の内部は酸性pHなのであり、分泌顆粒膜の内側に結合しているタンパク質としてGP2は最も大量に存在しているのだ。

他の細胞生物学研究者が発表する研究成果がいちいち私たちを勇気づけた。細胞内のプロトンポンプを止めてしまう薬剤を細胞に振りかけると、分泌顆粒の形成は一斉にストップする。こんなデータが発表された。それはそのとおりだろう。プロトンポンプが停止すれば、区画内のpHは酸性化されない。そうなればGP2は互いに結合できない。分泌顆粒膜の組織化は起こりようもない。でもそのことを知っているのは私たちだけなのだ。

あるいはこんな知見もあった。消化酵素タンパク質を弱酸性下におくと、消化酵素同士が緩く結合しあって大きな集塊を形成する。酸性化を原動力にして膜が球形に組織化されるときに、実は、その膜内に充塡されるべき「積荷」もまた酸性化を動力として自己集合しているのだ。なんと自然はシンプルで協奏的なのだろう。私たちの興奮もまた大きな塊となって身体の奥からせりあがってきた。

ローラー作戦

しかしこれだけでは私たちは新種のトリバネアゲハを発見したことにはまったくならない。私たちは梢をかすめて飛ぶ蝶の影を見ただけで、それがほんとうに未発見の重要な新種であるかどうかはまだ証明できていないのだ。蝶はそれを捕虫網の中に確実に捉え、羽の形や表と裏の斑紋がきれいに見えるよう正しく展翅し、標本として提示しなくてはならない。

似たような性質や同じような大きさを持つタンパク質は複数存在する。つまりジグソーパズルのピースはどれも同じように見える。同じように見えるタンパク質にそれぞれ異なった固有の形を与えるのは、そのタンパク質を構成するアミノ酸配列のユニークさである。

アミノ酸とタンパク質の関係は、文字と文章との関係に対応する。ちょうどアルファベットの並び順が、特別の文章を紡ぎだすように、数珠玉のように何十、何百と連結したアミノ酸の配列順序こそが、あるタンパク質を他のタンパク質から区別する斑紋となる。ならば、重要な機能を果たす新しいタンパク質を見つけたと主張するためには、そのタンパク質の全アミノ酸配列を決定し、それが未知のものであることを言明しなくてはならない。新種の蝶はこのとき初めて実在のものとなるのだ。

GP2の大きさから考えて、このタンパク質はおよそ五百個のアミノ酸が連なったものであると推定された。五百個のアミノ酸配列をただ一つの読み誤りもなく正確に決定しなくてはならない。タンパク質から一つ一つアミノ酸を切り離し、それが二十種あるアミノ酸のうちどれであるかを決定していく。この作業を五百回繰り返すことが必要となる。たとえどれほど潤沢に研究資金があり、しかも純度の高いGP2がたくさん精製されているとしても、これは現在でも技術的にきわめて困難な課題である。

当時、すなわち一九八〇年代の後半、私たちがとりうる選択は一つしかなかった。タンパク質そのもののアミノ酸配列をすべて決定することはあきらめて、そのアミノ酸配列を指定している遺伝子のコードを解読すること。

すでに記したように、アミノ酸ひとつを指定する遺伝子は三つの塩基配列である。だから五百個のアミノ酸からなるタンパク質の遺伝子は、千五百塩基からなる。文字数は一気に三倍に増えてしまうが、圧倒的に有利なことがある。それは塩基にはA、T、C、Gの四種類しかないということである。アミノ酸を特定するには似たような性質の二十種からひとつを同定するため高い分離精度が要求される。その点、四つの異なるものからひとつを同定することは比較的たやすい。つまりシグナルが多少のノイズでは乱されにくいということを意味する。

そして何よりも遺伝子は増やすことができる。たとえばマリスの開発したポリメラーゼ連鎖反応（PCR）によって。タンパク質と違って、サンプルが実験によってどんどん失われてしまうことにおびえる必要がない。

最大の問題は、GP2の遺伝子がゲノムの中のどこに位置しているかを探すことだった。ゲノムは三十億塩基の情報量を持つ。その中から、GP2の千五百塩基の場所を見つけ出さなくてはならない。それは地図を持たないまま、誰かの家を探し出すようなものだった。

ゲノム・プロジェクトが完成した現在から見るとこれは実に馬鹿げた、非能率な行為に見える。全ゲノム配列情報は、完全に電子化された詳細住宅地図である。氏名あるいは住所のほんの一部でもわかれば、コンピュータ上でソーティングをかけることでたちどころに居所を特定できる。

ところがほんの十数年前、私たちの手元にはまともな地図は何もなかったのだ。私たちにできることは、個別に各家々をノックしては人相書きと住人を比べるのにも似た、いわばローラー作戦のような手作業だった。私は繰り返し繰り返しこのローラー作戦を行って、徐々にGP2遺伝子の存在場所を狭めていった。

電子メイルもネット環境もなかったにもかかわらず、見えないブドウの蔓は不思議なことに世界中に張り巡らされていた。その蔓を通して、嘘かほんとうかはにわかには判別しがたい噂が始終もたらされた。ニューヨーク大学のチームが、GP2の重要性に気がついてその遺伝子探索に邁進している。いやドイツの研究者の方が先行しているらしい。彼らはすでにほぼ目的地に到達しているようだ。

私はまったく余裕が持てなかった。常に後ろから追われているような気がした。学術誌の新しい号を開くのが怖かった。誰かがGP2遺伝子の構造を発表している夢をしばしば見た。

ささやかなワン・ピース

やがて暦の上では春を迎えたが水路は凍ったままだった。僅かに木々のつぼみのかすかな膨らみが待ち遠しい季節の訪れを知らせるが、しばらくは一向に芽吹こうとしない。風が頬にほんの少し優しく感じられるようになってはじめて、オームステッド・パークの遊歩道沿いに黄色いレンギョウが一斉に咲き出す。こうして人々はようやく安心して外を歩けるようになる。

そんな長いボストンの冬が明けかけた、三月の終わりも近いある日のことだった。つよい風が朝から吹いていたが、その風にはもはや冬の鋭さは含まれていなかった。私たちのチームは確実にゴールに近づいてはいたが、まだ到達点までどのくらいの距離があるのか誰にもわからなかった。私は研究室に着くと実験衣に着がえて早速昨晩の続きに取りかかろうとした。その時、同僚のイタリア人ロベルトがやってきた。

「シンイチ、知ってるかい。とられちゃったんだよ」

一瞬、私は言葉を失った。ロベルトの話を聞きながら、やがてそれが彼特有の意地の悪い惹句であることがわかった。とられたのは私たちの遺伝子ではなかった。しかし、それはもっとスリリングな出来事だった。風は前の晩から吹いていていた。

舞台は、ハーバード大学医学部からほんの数ブロックはなれたところにあるイザベラ・スチュワート・ガードナー美術館である。深夜一時頃、美術館はボストン市警の制服に身を包んだ警官の急な来訪を受けた。驚いて対応した美術館の警備員に、警官はモニターのインターフォン越しに告げた。この美術館に賊が侵入したとの知らせを受けた。内部を調べさせてほしい、と。

侵入者の気配などまったくなかったが、彼は警官の緊迫した勢いに気圧（けお）されて扉を開錠した。確かにそこには警官が立っていた。そのあと警備員は、自分の死角に警官が回り込んだことに一瞬気づくのが遅れた。つぎの瞬間、警備員は縛り上げられていた。警官に扮装した犯人は階上の獲物に向かってまっすぐに進んだに違いない。彼は他の所蔵品には目もくれず、フェルメールの名画「合奏」の前に立った。

朝になって清掃員が来てはじめて犯行が発覚した。犯人は、この美術館が財政難のためハイテク防犯装置を施していないことをあらかじめ調べていたのだろう。十分な計画を立て、チャンスを選び、実行して成功させた。全世界に散らばるフェルメールの限られた作品のうち「合奏」だけがいまだに行方不明である。ボストンにいる間にいつかは見ようと思っていた私にはとうとうその機会がなかった。ロベルトはこうつけ加えるのを忘れなかった。

「僕は盗られる前に見ておいたよ」

その年の秋、私たちのチームは目的とするGP2遺伝子の特定とその全アミノ酸配列をアメリカ細胞生物学会で発表した。ライバルチームもその同じ学会で私たちとまったく同じ構造を発表した。同着だった。お互いの仕事の正しさが確認された瞬間でもあった。ヒト・ゲノムの全貌が明らかになった今となっては、それはジグソーパズルのささやかなワン・ピースでしかない。

第14章　数・タイミング・ノックアウト

あるパーツの役割を知るには？

テレビの後ろ側に回って、背面のパネルをはずしてみる。するとそこには赤や緑や黄色に塗られた小さなパーツが待ち針のように所狭しと並べられている。もちろん私がいっているのは、〝古い〟タイプのブラウン管テレビのことである。最近の薄型テレビはそもそも内部が覗き込めるようになどなっていない。

さて、もしそのこまごまとした待ち針の中でどれかひとつ、たとえばこの黄色の三本脚のパーツが一体、どのような役割を果たしているのか知るにはどうしたらいいだろうか。たとえ顕微鏡で、パーツの内部を調べることができたとしても奇妙な層板構造が見える程度で、役割についてたいしたことはわからないだろう。

それよりももっと有効な方法がある。少々、乱暴だが、そのパーツを取り去ったとき、テレビがどうなるかを試してみればよいのだ。ニッパーペンチで脚部を切断した瞬間、テレビ音声が消えれば、そのパーツは音を出すことに関与していたものだと推定できる。もし画像から色が失われれば、そのパーツはカラー化に何らかの役割を果たしていたものに違いない。

これとまったく同じことが生物学においても可能なのである。これまで見てきたように、生命体を形作っている要素は、ジグソーパズルのピースに相当するもの、すなわちタンパク質である。あるタンパク質が、生命現象においてどのような役割を果たしているかを知るための最も直接的な方法は、そのタンパク質が存在しない状態を作り出し、そのとき生命にどのような不都合が起こるかを調べればよい。

私たちは、膵臓の細胞に存在するタンパク質GP2を捕らえた。このGP2について、私たちが行おうとしたことはまさにそのような実験だった。

GP2が細胞膜のダイナミズムに重要な役割を果たしているということに私たちは確信があった。なによりもGP2の構造や性質が如実にそれを示唆していた。その上、膵臓の消化酵素を運ぶ分泌顆粒の膜に結合しているタンパク質のうち、GP2は最も大量に存在している。重要なものだからこそたくさん存在しているのだ。

しかし、GP2の生物学的な存在意義の重要さを、GP2発見者の私たちだけでなく、他の人々にも確信させるためには、決定的な方法でそれを証明しなくてはならない。そのためにはGP2がなくてはならないタンパク質であることを明示する必要がある。それは結局のところ、GP2が存在しない状態を作り出し、そのとき膵臓が大パニックに陥っていることを実験的に提示すればよいのだ。

GP2がなければ、細胞膜は、風船を持たない子供たちが無為に走り回るだけの無秩序状態となる。膜が組織化できなければ、分泌顆粒を形成することなど絶対にできないはずである。マウスのような実験動物でこのような状態を作り出し、その膵臓を顕微鏡で見ればそれは明らかだ。膵臓の細胞内の膜運動は停止し、分泌顆粒は一切姿を消すことだろう。その様子を写した劇的な顕微鏡写真は、専門学術誌の表紙を飾り、末永く研究者たちの記憶にとどまることになるはずだ。

設計図を破壊する

タンパク質が、テレビのダイオードやトランジスタと異なる最も大きな点は、同一のタンパク質が、分子の数にすると何万、何億も存在して散らばっているということにある。

トランジスタをひとつ引き抜くのとはわけが違って、生体内に散在する何億もの分子を一斉に「存在しない状態」にすることは不可能である。

ならばどうすればよいか。設計図を破壊すればよい。タンパク質の構造は、そのアミノ酸配列に依存し、アミノ酸配列はDNAの塩基配列に暗号化されてゲノム上に書かれている。だから理論上、ミクロな外科手術を使って、特定の塩基配列をゲノムから切り取れば、そこにコードされているタンパク質を作り出すことはできなくなる。

この試みは、生物学の歴史上、まず大腸菌や酵母のような単細胞生物に対して行われた。大腸菌には、設計図としてのゲノムDNAはひとつしかない。ある大腸菌のゲノムから特定のタンパク質データを消去することができれば、細胞分裂によってその大腸菌ゲノムを受け継ぐ子孫の大腸菌はすべて、そのタンパク質を生産できなくなる。そこで大腸菌の様子を観察すればよい。どんな不都合が起こっているか調べればよい。

そして実際、自然はすでにそのような実験をランダムな形で行ってくれているのだ。突然変異である。大腸菌は数十分に一回分裂して子孫を増やす。二が四に、四が八に、八が十六になる。その都度、ゲノムDNAが複製される。しかしこのとき、ある一定の、きわめて小さな確率で複製ミスが生じる。遺伝暗号のスペルが変わったり、欠落したりする。このようなミスはDNAの塩基配列上にピンポイントで発生し、非常に軽微なものもありうるが、コードされているタンパク質をひとつ丸ごと無効にしてしまうような重大なミスもある。

大腸菌は、シャーレの上で何十万匹(正確にいえば何十万コロニー。一コロニーは単一の大腸菌に由来する均一な子孫の集団)をも同時に生育させることができる。だからきわめてわずかな確率でしか起きない複製ミスであっても、大きな数の対象をスクリーニングすることができ、この中から突然変異体を選抜することができる。

こうして多数の興味深い突然変異が発見され、遺伝子上のミスとタンパク質の機能の欠損、そしてその欠損がもたらす異常との関係が対応づけられるようになっていった。たとえば、あるタンパク質Aが存在しないとこの大腸菌は増殖することができなくなる。なぜならタンパク質Aが欠損すると、大腸菌はその生育に必要な栄養素Bを作り出せなくなるから。したがってタンパク質Aの機能は栄養素Bの合成酵素である、という「生物学」が成立することになる。

やがて研究者たちは、複製ミスによる突然変異体の発生を、自然が行う気まぐれな偶然だけに頼らずに、より人為的に、より高確率に行う方法を編み出すようになっていった。大腸菌に対して化学物質を与えてDNA複製の邪魔をする、あるいは放射線を照射してDNAに損傷を与えるなどである(これらの研究はまた、何が私たちのDNAにとって脅威となるのかを知るプロセスでもあった。それゆえにこそ、今日、私たちがタバコに含まれる変異原性物質を忌避し、チェルノブイリの臨界事故を悲惨な記憶としてとどめることができるのである)。

このように遺伝子を人為的に破壊して、その波及効果を調べる方法を、「ノックアウト実験」という。遺伝子を叩き潰す(ノックアウト)という、アメリカ人ならではの乱暴な言い回しである。

私たちが行おうとしていたのはまさにGP2ノックアウト実験である。それも大腸菌が相手ではなく、マウスのような多細胞生物に対して。GP2は大腸菌のような単細胞生物には存在せず、高等動物で機能しているタンパク質だから。

ノックアウト実験の障壁

生物学の歴史は、方法の歴史でもある。ノックアウト実験を、単細胞生物ではなく、多細胞生物に対して適用するには大きな技術的障壁が立ちはだかっていた。

多細胞生物には、ひとつひとつの細胞にひとつずつゲノムがある。だから全身から、あるタンパク質の存在を消すためには、すべての細胞の、すべてのゲノムに対してデータ消去を施さなくてはならない。ヒトでは、あるいはマウスのような実験動物でも、ひとつの個体は数十兆個の細胞からなっている。したがって個々の細胞に対してノックアウト実験を行うことは到底不可能である。

ならば出発点に遡るしかない。それは受精卵である。もし受精卵の遺伝子に対して、あるデータを消去することができればどうだろうか。受精卵から出発したすべての細胞は同じゲノムのコピーを受け継ぐから、全身の細胞から特定のタンパク質の存在を消すことが可能となる。少なくとも理論的には。

ここでも自然が行った偶然の実験例がある。遺伝性の先天性欠損疾患である。受精卵上の遺伝子異常が、全身の細胞に反映された結果、障害が発生する。これを偶然ではなく、意図的に、しかもGP2遺伝子のみを標的として引き起こすなどということが可能だろうか。

単細胞生物の場合、ある特定の遺伝子をノックアウトする実験が実現できるのは、それが意図的に、自由自在に行えるからではない。「数」がこなせるからである。特定の遺伝子がたまたまノックアウトされた細胞を、大量の細胞の中から選抜できるからである。シャーレの上にある数十万、数百万という細胞の中から。

高等動物の受精卵ではこのようなことはできない。受精卵を数十万の規模で大量に集めることは不可能である。

そしてもうひとつの要素は、受精卵は決して実験者のために〝立ち止まってはくれない〟ということである。受精卵がシャーレの上で生育できるのは受精直後のほんのわずかな時期であり、このあとは母胎環境でのみ正常な細胞分裂と分化が進行する。受精した瞬間、発生と分化の時計は時を刻み始め、止まることのない、そして決して逆戻りすることのないプログラムが進行する。ここで無理に実験的な介入を行えば、受精卵は発生を止める。

つまり単細胞生物に対して行えたような操作の余地——低い確率ながら遺伝子に変異を引き起こさせ、それが成功した細胞を多数の中から選抜する——、といったことが成り立つタイミングが存在しえないのである。数とタイミングの問題。

しかし、曙光(しょこう)は不思議な地点から射し込んできた。

129系マウス

ボストンはニューヨークから約二百キロ北上したところに位置する。ボストンからインターステイト高速道ルート95をさらに北へ上がるとまもなくマサチューセッツ州は終わり、ニューハンプシャー州に入る。

ルート95はゆるい起伏を繰り返しながら広大な森林地帯を進む。黄色いカエデを中心とした落葉広葉樹林と細い針葉樹林がモザイク状に帯を織り成して現れる。川を渡る細い橋には木製の屋根が施されている。雪害対策だ。道路は時に海岸地帯に出て、小さな港町を通過する。そこには大西洋の冷たい海が打ち寄せていて、コンクリートの防波堤にはロブスター漁のための四角いカゴが積み上げられている。

やがて次の州境に差しかかる。ここから先は、北米最東北のメイン州となる。海岸は複雑に入りくみ、島々が点在する。緯度は45度に近く、日本でいえば北海道の網走を越える。すでにボストンからも数百キロ以上北へ来ている。車は海側へ出て橋を渡る。マウント・デザート・アイランド。曲がりくねった道をたどって進むと高台に突然、白亜の建物群が出現する。知らずにこの地を訪れた人であれば人里離れた、この巨大な宗教施設のような、一大ビルディングが一体なにものなのかしばし当惑するだろう。これがザ・ジャクソン・ラボラトリーである。

ロビン・クックのステレオタイプなメディカル・ミステリーならば、マッド・サイエンティストがひそかに人体実験を行っていそうな場所だが、事実はまったく異なる。ここジャクソン研究所は世界に開かれた場所である。そして世界で最も優れたマウスの研究拠点なのだ。この場所で、過去七十五年にわたり、純系マウス、ミュータントマウス、疾患モデルマウスなどが次々と開発され、その卓抜した維持管理と供与システムによって、世界中の生物学と基礎医学研究に多大なる貢献を果たしてきた。

話は今から五十数年をさかのぼる。ルドルフ・シェーンハイマーがニューヨークで命を絶ち、その後、ワトソンとクリックとロザリンド・フランクリンがDNAの二重ラセン構造に到達したのと奇しくもまったく同じ一九五三年のことだった。

ジャクソン研究所の若い研究員リロイ・スティーブンスは、研究所に飼われている無数のマウスの中に不思議な異常があることに気がついた。そのマウスには129系統という無愛想な名前が振られていた。もちろん彼は、この番号がその後、数十年を経て、偉大なるアイコンとなることを知る由もなかった。彼はただ、そのマウスの睾丸にできた腫瘍に惹きつけられたのである。

それは神の悪戯とでもいうべき奇怪なものだった。腫瘍は普通、個性のない、ただ増殖だけが目的の細胞塊であるはずなのに、129系マウスに生じた腫瘍は違っていた。その腫瘍には毛が生えていた。筋肉細胞や神経細胞が混じっていることもあった。あるいは心臓のように拍動している細胞が発見されることもあった。さらには小さな歯が生えていることさえあった。つまりその腫瘍はあらゆるタイプの細胞のごたまぜ状態を呈していたのである。

最初は何が起こっているのかまったくわからなかった。しかし混沌に見えた腫瘍は、スティーブンスの頭の中で徐々に、形を成し始めた。これは神の悪戯などではない。本来、睾丸の一部に分化するはずの「幹細胞」が、自らが進むべきルートを見失って、なりうるあらゆるものに成り果てたものに違いない。

スティーブンス自身は「幹細胞」という言葉ではなく、この時点では、まだ始原細胞という言葉を使っていた。しかし彼の洞察は正鵠を射ていたのだ。129系マウスの分化プログラム時計には、数とタイミングに関する〝ずれ〟が内包されていたのである。

ES細胞とは何か

このあとに展開したES細胞をめぐるドラマを跡づけようとすればおそらく別の本が一冊書けるはずだ。そしてこのドラマからは未来のノーベル賞受賞者が片手の数以上現れることも間違いない。しかしここではあえて長いストーリーを短くすることをお許しいただきたい。

一九八〇年初め、ケンブリッジ大学のマーティン・エバンスの研究室、そして彼の一番弟子だったゲイル・マーティンのカリフォルニア大学の研究室で、ほぼ同時に、リロイ・スティーブンスの129系マウスの胚（受精卵が分裂を進めて一定時間が経過した細胞のかたまり）から幹細胞を取り出すことに成功した。129系マウスには、スティーブンスが発見したような奇妙な腫瘍をもたらす細胞だけでなく、あらゆる場所に、立ち止まって、何者かになるタイミングを待っている細胞が多数存在していたのだ。

これが胚性幹細胞（embryonic stem〔ES〕cell）樹立の瞬間だった。このＥＳ細胞は数とタイミングに関して、本来、生命のプログラムが持っている、時間軸に対する待ったなしの一方向性から免れた稀有の性質を有していた。ＥＳ細胞をもともとの胚から切り離して、シャーレの上で栄養を与えて育ててやると分化プログラムが停止する。しかし細胞分裂は止まらない。無個性のまま無限に増殖することができる。つまりタイミングが止まったまま数だけが増えるのだ。

そして驚くべきことに、増えたＥＳ細胞を、別に作ったマウスの胚の中に細いピペットで流し込んでやると、ＥＳ細胞はそのマウスの胚の細胞群とうまく折り合いをつけて胚の一部となりかわり、分化のプログラムを再開させて、やがてまったく健康な一匹のマウスとなるのである。つまりＥＳ細胞は、腫瘍のような混沌をもたらすのではなく、秩序だったふるまいをする正常な始原細胞なのである。

このとき、マウスの身体のある部分はＥＳ細胞由来の、そしてまた別の部分はＥＳ細胞を受け入れた胚由来の細胞から形成されていることになる。つまりＥＳ細胞は、あらゆる細胞に分化するポテンシャルをその内部に秘めていることになる（ただし、ＥＳ細胞は、神経や筋肉や歯や毛といったさまざまな分化細胞になることはできるが、ＥＳ細胞だけから完全な一個体ができることはない。つまりES細胞は分化能を有するが、受精卵が有するような全能性を有しているわけではない)。

このからくりが高等多細胞生物の遺伝子ノックアウトを可能としたのである。ES細胞はシャーレの上で、分化しないまま、無限に細胞分裂を繰り返し、数十万、数百万個にまで増やすことができる。つまりこれは大腸菌と同じようにES細胞を同時に多数扱えるということである。ここにはじめて数とタイミングの問題が解決された。

非常に稀な確率ながら、ES細胞の内部のゲノム上で、GP2をコードする遺伝子を意図的に欠損させたものを作り出すことができる。それは百万分の一以下の確率程度である。しかしES細胞はいくらでもその数を増やすことができ、目的とするGP2遺伝子欠損細胞は、手間をかけ根気さえあれば、百万個のES細胞の中からスクリーニングによって選抜することができるのである。この間、分化はストップしているのだから。129系ES細胞は、研究者が仕事をしている間、待ってくれているのである。

GP2ノックアウトマウス誕生

このようにして私たちは、数とタイミングに関する多細胞生物の分化の掟を免れて、GP2遺伝子が破壊されたES細胞を作り出し、選抜することに成功した。

私たちははやる心を抑えて一歩一歩、慎重に進んでいった。この特別なES細胞を十分な数、増殖させてから、その半数を凍結保存した。貴重な細胞は微小なプラスチックチューブに入れられてマイナス195℃の液体窒素ドラムの中に沈められた。今後、実験が何らかの問題によって失敗したとしても、この冷凍保存ES細胞を解凍して、もう一度この地点から実験を再開することができる。

一方で、私たちはマウスを妊娠させ、そこから胚を採取してきた。この胚にES細胞を入れる時期が重要となる。フリーズされていた分化のプログラムを再開させるタイミングがここではクリティカルとなる。

受精卵は次々と細胞分裂を繰り返し胚を形作っていく。受精五日ほどで胚盤胞と呼ばれる中空のボール状の細胞群塊となる。このときさわめて細いガラスピペットを使って、ES細胞を中空の胚内部に導入する。こうしてできた胚盤胞を、あらかじめ疑似妊娠状態にしておいた代理母マウスの子宮に入れて、胎児が育っていくのを見守る。すべてのステップに最高度の熟練と実験設備が要求される。実際、各ステップごとに七桁規模の研究費が費やされていった。

代理母マウスから生まれた子供の毛並みは黒地に褐色の、〝ぶち〟模様を呈している。子供は、ひとつの個体として統合されているものの、ES細胞と胚盤胞細胞の混在から成り立っている。ＥＳ細胞は１２９系マウスに由来し、１２９系マウスの毛色は薄いブラウンである。胚盤胞はわざと１２９系とは毛色の異なる、たとえば黒色のマウスのものが用いられる。するとこの二系統が合一してできた子マウスはあらゆる部分で、両者がモザイクを呈することになり、毛色はその端的な指標となる。このようなマウスをキメラと呼ぶ。私たちは、子供たちがぶち模様であることに安堵した。ここまでは順調だ。

しかし重要なのはここから先である。私たちはＧＰ２が、部分的な細胞からではなく、〝全身の細胞から〟失われたマウスを作出し、その影響をみたいのである。そのためには、ＧＰ２遺伝子を欠損したＥＳ細胞がモザイク状に散在するキメラマウスではなくて、全身の細胞が、ＥＳ細胞に由来する完全なノックアウトマウスを得なくてはならない。

そのためには何が必要か。それは僥倖(ぎょうこう)が働いて、キメラマウスの精子もしくは卵子の細胞がＥＳ細胞由来となる偶然を祈るしかない。胚盤胞の内部に注ぎ込まれたＥＳ細胞が、個体になったときどの部分に行き、どの程度のモザイクを作り出すかは、まったくの偶然にたよるしかないのである。完全に制御されているかのように見えるＥＳ細胞操作技術も、その核心部分はブラックボックスなのだ。

私たちは、ＥＳ細胞を宿した複数の胚盤胞を作り、できるだけたくさんの子マウスを誕生させた。幸運を得るには数をかせぐしかない。こうしてできたキメラマウスを妊娠させて次の世代の子供を作る。それをまた掛け合わせる。運よく、ES細胞に由来する精子と、ES細胞に由来する卵子が現れ、それが受精したとき、完全なノックアウトマウスが生まれる。すべての細胞が129系のES細胞に由来するため、そのマウスの毛は、129系と同じブラウン一色となる。

とうとうGP2ノックアウトマウスが生まれてきた。このマウスはそのすべての細胞がES細胞由来であり、すべての細胞でGP2を作り出すことができない。つまりGP2というピースは一分子もこのマウスの内部には存在しない。その結果、このマウスの膵臓細胞ではとてつもない膜の異常が展開しているはずなのだ。

とはいえ、GP2ノックアウトマウスは一見、なんの変哲もないごく普通のマウスに見えた。マウスはプラスチックケージの中をあちこち臆病そうに動き回っていた。自然の驚異は細部にこそ宿る。私は、そのうちの一匹を選んで麻酔をかけ、注意深く膵臓を摘出した。その膵臓を特別な試薬で固定した後、顕微鏡観察のためのプレパラートを作成した。薄い切片となった膵臓の標本は、淡いピンク色をした透明な花びらのように小さなスライドガラスの上に貼りついていた。

私はそれを顕微鏡のステージにおき、ダイアルをゆっくり回しながら徐々にフォーカスをあわせていった。ピンク色の視界が像を結んでいく。私は息を止めた。台形の膵臓細胞。丸い核。棒状のミトコンドリア。その中に散在する完全な球形をとった分泌顆粒。私はステージを前後左右に動かして視界をあらゆる場所へ次々と移してみた。核。ミトコンドリア。完全な球形の分泌顆粒。細胞の表情は静かで均一だった。異常はどこにも認められなかった。顕微鏡下、円形の視野に広がるGP2ノックアウトマウスの細胞はあらゆる意味で、まったく正常そのものだった。

第15章　時間という名の解けない折り紙

ノックアウトしたのに……

私たちは混乱した。そして落胆した。GP2タンパク質が一切存在しなくとも、マウスには何の不都合も発生しない。細胞内部にはまったく正常な形状の分泌顆粒が平然と存在している。GP2が、分泌顆粒膜の組織化に重大かつ必須の役割を果たしているという私たちの仮説は見事なまでに粉砕されてしまった。

私たちはまず、自分たちの方法の瑕疵を疑った。仮説は正しいのだが、何らかの技術的なミスによって、GP2のノックアウトが完全に起こっていないのではないか。ノックアウトマウスのDNA、メッセンジャーRNA、そしてGP2タンパク質の有無が調べられた。DNAレベルで遺伝子のノックアウトは確かに行われており、GP2のメッセンジャーRNAは作り出されていなかった。結果として、このマウスは一分子のGP2も持たない。それにもかかわらずマウスはぴんぴんしているのだ。

では、やはり私たちの仮説が間違っているのだろうか。GP2は重大でもなく必須でもない分子なのか。普通のマウスでは、分泌顆粒膜にはぎっしりとGP2が存在しているのである。それなのに、GP2はあってもなくてもいい分子だというのだろうか。

テレビ内部の基板の上に複数並んでいるある部品を残らずはずしたにもかかわらず、テレビは正常に映り、画像にも音声にも乱れがない。このような実験結果を前にしたとき、私たちはどう考えるだろうか。まったく不必要な部品がたくさん基板に載っているとは経済的に考えてありえない。必要な機能を担っているがゆえにそこに配置されているのだ。

これはしばしば生命現象にも適用できる考え方である。不必要な荷物を抱え込んだ生物はそれだけ生存競争に不利なはずである。生物はできるだけ効率のよい仕組みが進化的に選択されてきたとする見方だ。盲腸や扁桃腺のように、切り取っても生命に別状がないものもある。けれども、盲腸や扁桃腺は、まったく無用なものとはいえず、特別な状況下では免疫器官としてそれなりの機能を果たしている。公衆衛生が行き届いた現代社会では、それらが特に常時必要ではなくなっているというだけである。

そこでテレビ部品のケースも次のように考えることができる。この部品は、普通の作動には関与しないが、特別な操作（たとえば、DVDへ録画するとか、字幕を表示するとか、音声多重放送に切り替えるとか）をするとき必要となる、と。したがって欠落の影響は、特殊な状況下でのみ顕在化する。

私たちもGP2の〝特別な〟役割を求めて、マウスをさまざまな状況下においてみた。食物をたくさん与えて消化酵素がより大量に必要な状況にする、逆に、食物を一定期間与えずにタンパク質欠乏の状態を作る、水を与えずに体内のイオンバランスに負荷をかける、長期間飼育して老化が進んだ状態を調べる、などである。

しかし、いずれの状況下でも、GP2ノックアウトマウスと、その比較対照となる正常マウスとの間では、行動も、代謝的あるいは生化学的な指標も、いずれにもとりたてて差異は見出せなかった。やはりGP2は、無用の長物なのだろうか。それとも、私たちには何か重大な錯誤や見落としがあるのだろうか。

狂牛病のプリオンタンパク質の場合

遺伝子をノックアウトしたにもかかわらず不都合は何も起こらない——。私が興味を持って研究を続けているもうひとつのテーマでもこれとまったく同じ現象が知られている。

狂牛病におけるプリオンタンパク質の役割である。

プリオンタンパク質とは、脊椎動物の脳細胞に存在するタンパク質で、ちょうど膵臓のGP2と同じく、GPIアンカーという仕組み（これはGP2の説明の際、風船〔＝GP2分子〕の〝糸〟にあたるものとして記した）によって細胞膜につなぎとめられている。そして、これまたGP2と同じように、その機能は、さまざまな推測はあるもののよくわかっていない。わざわざ特殊な方法で細胞膜に結合しているから、細胞膜の運動や膜の内外の情報伝達に関わっていると推定できるのだが、その役割はまったく不明である。

ただひとつ判明していることは、牛が狂牛病にかかると脳内のプリオンタンパク質の立体構造が変化して、異常型になるということである。異常型プリオンタンパク質は、変性の結果、凝集しやすくなり、多数の分子が絡まりあって脳内に沈着する。これが進行すると脳細胞が傷害を受けて、起立不能、行動異常、昏睡などの狂牛病特有の病状が顕在化して最終的には不可避的に死に至る。

それでは、異常型ではない、正常型プリオンタンパク質は脳細胞でどのような機能を担っているのだろうか。これが明確にわかれば、狂牛病発症の解明にも手がかりがつかめることになる。

そこで遺伝子ノックアウト実験が企図された。牛でノックアウト実験を行うのは不可能ではないが、場所的にも、技術的にもたいへん手間がかかる。そこで定番のマウスが使用された。マウスにもプリオンタンパク質が存在し、狂牛病の牛の脳をマウスに投与するとマウスを狂鼠病にすることができる。つまりマウスは狂牛病に感染し、この病気のモデルとなりうるのだ。この実験を最初に行ったのはスイスの研究グループだった。

当初の予想は、プリオンタンパク質遺伝子をノックアウトしたマウスは、狂牛病にかかった牛と同じ症状、つまり歩行障害などの神経症状を示すだろうというものだった。なぜなら、狂牛病にかかった牛が神経症状を示すのは、病気によって正常型プリオンタンパク質が変性すること、つまり正常型プリオンタンパク質本来の機能が失われることによって引き起こされると考えられたためである。

ところがである。プリオンタンパク質をノックアウトしたマウスは正常に誕生し、成長後も健康そのもの、何の不具合も見つからなかった。スイスの研究チームは、時間をかけてこのマウスを注意深く解析した。しかし異常はどこにも見当たらなかった。マウスの寿命は二年ほどだが、ノックアウトマウスは短命になることもなく、また寿命終盤になっても特別な神経症状を発することもなかった。生存のためにも、健康の維持のためにも、プリオンタンパク質は存在しなくても問題のない分子のようだった。

不完全な遺伝子をノックインすると

そこで彼らは、次のような実験を企画した。このプリオンタンパク質ノックアウトマウスに、もう一度、正常なプリオンタンパク質遺伝子を戻してやったらどうなるか。もちろん、ノックアウトした遺伝子をそのまま元に戻せば、それは健常マウスと変わらぬものができるわけで、何事も起こらないだろう。事実、実験結果はそうなった。

ところが——ここが研究者のひねくれたところ、あるいは、あくなき興味の源泉でもあるのだが——、実験にバリエーションをつけてみたのである。ノックアウトマウスに、プリオンタンパク質遺伝子をそのまま戻すほかに、部分的に不完全なプリオンタンパク質遺伝子を戻してみたのだ。

ここで用いられた〝不完全な遺伝子〟は、プリオンタンパク質の頭の部分から約三分の一を欠損した分子をコードするものだった。このようなDNAの小細工は現在、遺伝子工学技術によって自由自在にできる。遺伝子を切り、貼り、つなぎ、交換することは、文字通り、ハサミと糊で、切り紙細工を行うに等しいくらい容易なのである。ハサミにあたるのが制限酵素というDNAを切断する酵素であり、糊にあたるのがリガーゼというDNA結合酵素である。PCR技術もしばしば援用される。そして人工的に細工を施した遺伝子をもう一度、生物個体に戻す実験を、ノックアウトに対置して、遺伝子ノックイン実験と呼ぶ。

頭から約三分の一を欠損したプリオンタンパク質遺伝子は、どのようなタンパク質を作り出すだろうか。後半三分の二からなるアミノ酸の連なりは脳内で折りたたまれ、不完全なプリオンタンパク質となる。つまり不完全なジグソーパズルのピースを作り出す。ちょうどそれは、たとえていえば、六つある凸部のうち二つを欠いたものとなる。そして残りの四つの凸部はその周囲のピースとなおピタリと結合できる。

このような不完全なプリオンタンパク質分子を与えられたマウスはどうなるだろうか。生まれてからしばらくは何事もなかった。しかしこのマウスは次第におかしな行動を取るようになりはじめた。歩行の乱れ、台からの落下、身体の震え。このような症状はアタキシアと呼ばれ、運動をつかさどる脳の障害に起因する。やがてマウスは衰弱して死ぬ。不完全な形のプリオンタンパク質は、脳の仕組みを徐々に変調させていったのである。

生命は機械ではない

一連の事態は一体何を意味しているのだろうか。プリオンタンパク質を完全に欠損したマウスは異常にならない。このジグソーピースは、なければないで特に不都合を引き起こすことはないのだ。

ところが、頭から三分の一を失った不完全なプリオンタンパク質、すなわち部分的な欠落をもつジグソーパズルは、マウスに致命的な異常をもたらしてしまった。

テレビの回路を構成する素子に関してこのような事態はありうるだろうか。そのピースを取り去ってもテレビはちゃんと映る。けれどもそのピースをすこしだけ壊すとテレビは映らなくなる。こんなことが起こりうるだろうか。普通はこの逆だ。ピースの損傷は、それが部分的であれば何とか画像は多少乱れつつも映るかもしれない。しかしピース全体が欠損してしまえばもはや画像は映らない。

ピースの部分的な欠落のほうがより破壊的なダメージをもたらす。むしろ最初からピース全体がないほうがましなのだ。このようなふるまいをするシステムとは一体どのようなものなのだろうか。

そうなのである。やはり、私たちには何か重大な錯誤と見落としがあったのだ。重大な錯誤とは、端的にいえば「生命とは何か」という基本的な問いかけに対する認識の浅(ナイーブ)はかさである。そして、見落としていたことは「時間」という言葉である。

生命とは、テレビのような機械(メカニズム)ではない。このたとえ自体があまりにも大きな錯誤なのだ。そして私たちが行った遺伝子ノックアウト操作とは、基板から素子を引き抜くような何かではない。

私たちの生命は、受精卵が成立したその瞬間から行進が開始される。それは時間軸に沿って流れる、後戻りのできない一方向のプロセスである。

さまざまな分子、すなわち生命現象をつかさどるミクロなジグソーピースは、ある特定の場所に、特定のタイミングを見計らって作り出される。そこでは新たに作り出されたピースと、それまでに作り出されていたピースとの間に、形の相補性に基づいた相互作用が生まれる。その相互作用は常に離合と集散を繰り返しつつネットワークを広げ、動的な平衡状態を導き出す。一定の動的平衡状態が完成すると、そのことがシグナルとなって次の動的平衡状態へのステージが開始される。

この途上の、ある場所とあるタイミングで作り出されるはずのピースが一種類、出現しなければどのような事態が起こるだろうか。動的な平衡状態は、その欠落をできるだけ埋めるようにその平衡点を移動し、調節を行おうとするだろう。そのような緩衝能が、動的平衡というシステムの本質だからである。平衡は、その要素に欠損があれば、それを閉じる方向に移動し、過剰があればそれを吸収する方向に移動する。

酵素のようなピースの欠落によってある反応が進行しなければ、動的平衡は別の経路（バイパス）を開いて迂回反応を拡大するだろう。構造的なピースの欠損が、レンガ積みに穴を作るのであれば、似たような形状のピースを増産してその穴を埋めるようにするだろう。そのために生命現象にはあらかじめさまざまな重複と過剰が用意されている。類似の遺伝子が複数存在し、同じ生産物を得るために異なる反応系が存在する。

ある遺伝子をノックアウトしたにもかかわらず、受精卵から始まって子マウスの出産にまでこぎつけることができたということは、すなわち動的な平衡が、その途上で、ピースの欠落を補完しつつ、分化・発生プログラムをなんとか最後まで折りたたみえたということである。リアクションの帰結、つまりリアクショニズムとして新たな平衡が生み出されたということである。

動的平衡系の許容性

とはいえ、あるピースの欠落が決定的なダメージをもたらし、動的平衡系がその影響を最小限にしようとするものの、どうしても修復しきれないときには何が起こるだろうか。

発生のプロセスは次のステージに進むことができず、このプロセスはその時点で死を迎える。つまり分化を進めていた細胞塊は、マウスの形をとりつつある、とある段階で停止してしまう。動的平衡がその歩みを停止したところに、エントロピーの法則は容赦なく襲いかかる。細胞塊は自己融解を起こし、まもなく母胎に吸収されて終わりを迎えるだろう。つまり、このような致命的な遺伝子ノックアウト実験は、その結果が日の目を見ることはない。
実際、過去、試みられた遺伝子ノックアウト実験は、個体に何の異常も起こらないものが多々ある一方で、誕生を迎えないまま胚がその分化を止めてしまうような致死的なケースも多数あった。致死的なノックアウト実験が示すことは、その遺伝子が、発生上欠くことのできない重要なピースであることだけである。それがどのように必要とされるのかわからないままプログラムは閉ざされてしまうのである。

このような致命的な欠落ではなく、その欠落に対してバックアップやバイパスが可能な場合、動的平衡系は何とか埋め合わせをしてシステムを最適化する応答性と可変性を持っている。それが〝動的な〟平衡の特性でもある。これは生命現象が時に示す寛容さあるいは許容性といってもよい。平衡はあらゆる部分で常に分解と合成を繰り返しながら、状況に順応するだけの滑らかさとやわらかさを発揮するのだ。

ところが動的な平衡系にとってこの許容性が、逆に作用することがある。平衡系は、偶発的なピースの欠落に対してはやわらかくリアクションしうる。しかし、平衡系は人工的な紛(まが)い物までは予定していない。組織化の途上で、六つある凸部のうち二つを欠いたピースが残りの四つの凸部を使って周囲のピースと結合すればどうなるだろうか。おそらく、その場所の平衡は成立したと捉えられ、組織化は次のステージへ進んでしまうのだ。ところが凸部二つ分の空隙は開いたままである。生命はこのような部分的な操作に気づくのが得意でないのだ。

分化プロセスが進行する間、ピースの隙間にできたわずかな空隙はどうなるだろうか。空隙の周囲にあるピースがすこしずつずれて、完全ではないにしろ空隙を最小にすることもできるかもしれない。

しかし、時はもう遅い。周囲のピースはすでにそれ自体、他のピースとの間に相互作用を持ち、周りを取り囲まれている。だから、ある空隙を最小化しようとしてピースが不規則にずれれば、その動きは別の部位に新たな空隙を作り出してしまう。ひずみはさらに隣へと、時間的な経過が進めば進むほど、より大きな全体へと波及していく。ジグソーパズルはすでに膨大な分子のネットワークを形作ってしまっているのだ。わずかな空隙から始まったひずみはネットワーク全体に広がり、やがて平衡に回復不能な致命傷を与えうることになる。

ドミナント・ネガティブ現象

タンパク質分子の部分的な欠落や局所的な改変のほうが、分子全体の欠落よりも、より優位に害作用（ドミナント・ネガティブ）を与える。部分的に改変されたパズルのピースを故意に導入すると、ピースが完全に存在しないとき以上に大きな影響が生命にもたらされる。

ドミナント・ネガティブは、分子生物学の現場でも広く知られるようになってきた生命という系固有の現象である。マウスに致命的なアタキシア症状をもたらすことになった、頭三分の一を失った不完全なプリオンタンパク質。これが引き起こしたことはおそらく次のようなドミナント・ネガティブ現象だったのである。

正常なプリオンタンパク質は、その頭三分の一を使ってタンパク質Xと相互作用を行っている。そして残りの胴体三分の二を使って別のタンパク質Yと相互作用を果たす。つまり、プリオンタンパク質の機能は、神経細胞の膜上でタンパク質Xとタンパク質Yをつなぎ合わせることにある。このとき神経活動に伴う情報伝達が、X↓プリオンタンパク質↓Yと流れる。

情報伝達経路が形成される、発生途上の一時期、もしプリオンタンパク質がまったく存在しないのであれば、XとYの連鎖が成立しないことになる。タンパク質Yにパートナーが得られない分子的なこの孤立状況は、動的平衡系に対してSOS信号として働き、バックアップシステムの援用を求めることになる。そして平衡系は、適応的リアクションとしてXとYとの間を紡ぎうる何らかのバイパス経路、たとえば、X↓A↓B↓C↓Yといった代替的な仕組みを立ち上げることになる。プリオンタンパク質ノックアウトマウスはそのようなバックアップの帰結として健康体として生まれた。

ところが、頭三分の一を失ったプリオンタンパク質は、タンパク質Xとは結合できないにもかかわらず、中途半端なことに、タンパク質Yとは完璧に結合しうるのだ。そのことによってYは、擬似的にパートナー分子が存在する状況を与えられることになる。そこではバックアップが作動するようなSOSは発信されない。そして情報伝達経路は、何も知らないまま、さらに複雑なネットワークを組み立てていく。

やがてマウスは誕生し、未知の環境と遭遇する。脳の神経活動はどんどん盛んになり新しいシナプスが形成されていく。おそらくタンパク質XからタンパクY質への情報伝達はこのような脳の発達と関係して必要とされる機能なのだろう。その齟齬は、生まれてすぐにではなく徐々に現れることになる。XとYを橋渡しするはずのプリオンタンパク質は、ここではXの情報を伝達しないまま、Yと結合する。それはちょうど歪んだ硬貨を投入された現金識別装置のようにフリーズを起こすことになる。そして、そのフリーズは自動販売機の機能全体を致命的に停止してしまうことになるのだ。

解くことができない折り紙

ケヤキの裸樹は美しい。長らく関西にいた私は、東京に戻ってきてあちこちの公園や屋敷森にケヤキを見つけるたびに、その姿が東京の冬を特徴づける重要な意匠となっていることを知る。すっくと立った幹は、易者が筮竹（ぜいちく）を見事にさばいたように広がり、その枝は直線的に分岐してその都度、細くなる。それでいて遠くから見ると、枝の先端を結ぶ面はたおやかな円蓋（キャノピー）を示すのだ。

ケヤキの樹には、二本として同一の形はない。枝分かれは、その地点、地点で、ある一回限りの選択によってなされ、ひとたび分岐すればそれがやり直されることも、逆戻りすることもない。ケヤキの内部で行われる細胞の分裂とネットワークの広がり、つまりその動的な平衡のふるまいは、時間に沿って滑らかに流れ、かつ唯一一回性のものとしてある。

しかし、私たちは、ケヤキはどれを見てもケヤキの姿をしているがゆえに、一本のケヤキのあり方の一回性を、しばしばある種の再現性と誤認しがちなのだ。しかしそこには個別の時間が折りたたまれている。

インテリジェントビルの、精密に制御されたエレベーターのように、最小の振動ときわめて微弱な加速度しか感じさせない乗り物に乗ったとき、私たちはそれが上昇しているのか下降しているのか、あるいは動いていることすらわからないことがある。時間という乗り物は、すべてのものを静かに等しく運んでいるがゆえに、その上に載っていること、そして、その動きが不可逆的であることを気づかせない。

先に述べたこと、すなわち遺伝子をノックアウトしたこと、あるいはノックインしたことによって引き起こされるすべてのこともまた時間の関数として起こっている。

ノックアウトされたピースは、完成された全体から引き抜かれたわけではない。時間に沿って分岐し、そしてまた組み上げられていくそのある瞬間に、たまたま作り出されなかったのである。ノックインされた不完全なピースは、全体が完成されたのち、部分を切り取られたわけではない。これもまた時間軸のある地点で、出現し、その後の相互作用の内部に組み込まれていったものである。

遺伝子産物としてのタンパク質が織り成すネットワークは、形の相補性として紡ぎ出されるから、それらは枝の分岐というよりは、角々をあわせて折りたたむ折り紙のようなものとたとえたほうがよいかもしれない。

時間軸のある一点で、作り出されるはずのピースが作り出されず、その結果、形の相補性が成立しなければ、折り紙はそこで折りたたまれるのを避け、すこしだけずらした線で折り目をつけて次の形を求めていく。そしてできたものは予定とは異なるものの、全体としてバランスを保った平衡状態をもたらす。もしある時点で、形の相補性が成立しないことに気づかずに、折りたたまれてしまった折り紙があるとすれば、その折り目のゆがみはやがて全体の形までをも不安定なものにしうる。

機械には時間がない。原理的にはどの部分からでも作ることができ、完成した後からでも部品を抜き取ったり、交換することができる。そこには二度とやり直すことのできない一回性というものがない。機械の内部には、折りたたまれて開くことのできない時間というものがない。

生物には時間がある。その内部には常に不可逆的な時間の流れがあり、その流れに沿って折りたたまれ、一度、折りたたんだら二度と解くことのできないものとして生物はある。生命とはどのようなものかと問われれば、そう答えることができる。

今、私の目の前にいるGP2ノックアウトマウスは、飼育ケージの中で何事もなく一心に餌を食べている。しかしここに出現している正常さは、遺伝子欠損が何の影響をももたらさなかったものとしてあるのではない。つまりGP2は無用の長物ではない。おそらくGP2には細胞膜に対する重要な役割が課せられている。ここに今、見えていることは、生命という動的平衡が、GP2の欠落を、ある時点以降、見事に埋め合わせた結果なのだ。正常さは、欠落に対するさまざまな応答と適応の連鎖、つまりリアクションの帰趨によって作り出された別の平衡としてここにあるのだ。

私たちは遺伝子をひとつ失ったマウスに何事も起こらなかったことに落胆するのではな

く、何事も起こらなかったことに驚愕すべきなのである。動的な平衡がもつ、やわらかな適応力となめらかな復元力の大きさにこそ感嘆すべきなのだ。

結局、私たちが明らかにできたことは、生命を機械的に、操作的に扱うことの不可能性だったのである。

エピローグ

小学校の低学年で、私は都内から千葉県の松戸という場所に引っ越した。東京都の東を流れる江戸川を渡ったところだ。公務員をしていた父が、新築の宿舎の抽選を引き当てたからである。一九六〇年代後半の頃だった。当時の松戸市は、東京圏というには田舎じみており、田舎というには中途半端な、開発途上のベッドタウンだった。

なぜこのような昔話をしているのかといえば、最近、当時のことを思い出すきっかけがあったからだ。NHKの求めに応じて、自分の卒業した小学校に出かけて行って課外授業を収録した。私は三十五年ぶりに松戸の母校を再訪し、忘れかけていたいろいろな記憶をたどることになった。

駅ビルとデッキが作られ、周辺の区画はきれいに整えられて、私が覚えているようなこまごまとした店が並ぶ低い町なみは消えていた。周囲には高層マンションが立ち、短大が四大となってその校地を拡張していた。けれども駅からほど近い台地の上にある、公務員住宅と隣に広がる公園はそのままだった。私は自分が住んでいた棟の前に行って周囲を見渡した。今も誰かがここに住んでいることが不思議に思えた。車止め、自転車置き場、ポンプ室、小さな広場、いずれもが古びているものの当時と変わらずそこにあった。

その中でことさら、私を過去に強く引き戻したものは樹木の配置である。家の前の桜、小学校へ向かう通学路の傍らに並んでいたクスノキ、公園の入り口の両側にある一対のイチョウ。幹こそずっと太くなっていたが現在もなお記憶のとおりだった。何十年ものあいだ、樹々はずっとここにあったのだ。


引っ越してきた日の記憶がある。新居は運び込まれた荷物で一杯で、父と私は、近くの食料品店で菓子パンを買って野外で食べることにした。住宅からすこし離れたところに人気のない開けた場所があった。そこは廃墟だった。破壊された建物の残骸が一面に散らばり、横たわっていた。断面からは錆びた鉄筋が飛び出し、小石が混じったコンクリートは古びていた。奇妙な光景は、しかし、どこまでも明るく見渡せた。

私たちは陽あたりがよい広いコンクリート塊を見つけて、その上に登って昼食を食べた。気持ちのよい春の風があたりを吹き抜けていた。

後に知ったことだが、この眺めのよい台地の上には、一九四五年の敗戦時まで陸軍の広大な工兵学校があった。おそらく戦後、長らく放置されていたこの地は徐々に転用と再開発が進み、公務員住宅、裁判所、学校、公園などに変わりつつあった。私たちが引っ越してきたのは、そのような変貌の終盤の頃だったのだ。

つまりこの場所は、地理的に、東京とその郊外が接する界面であっただけでなく、時間的には、戦後がなお戦前と接している界面でもあったのだ。界面（エッジ）とは、二つの異なるものが出会い、相互作用（エッジ・エフェクト）を起こす場所である。

引っ越しが決まった時、私はこの転居に気乗りがしなかった。東京の練馬に暮らしていた私は、そこが気に入っていた。今から思えば、当時の練馬区は、畑が広がり、ニワトリを飼っている農家が点在するようなのどかな田舎で、その意味では松戸と変わるところはほとんどなかっただろう。が、東武東上線沿いのこの街に私はとても愛着があったのだ。

しかし界面がもたらす作用の前に、そんな小さな感傷はたちまち消し飛んでいくことになった。次の日から、ここは、私たち少年にとってワンダーランドとなった。

私たちはさまざまな場所で、止まったままの時間の断片を発見した。草むらの陰に入り口を開けた暗い防空壕。おそるおそる階段を下りて中を覗こうとしたが、水がたまった地下の廊下は真っ暗でその奥行きは見えなかった。

台地と駅をつなぐ細い階段の途中の崖には、分厚いコンクリートで固められた倉庫が埋め込まれ、鋲（びょう）を打った堅牢な鉄の扉が三枚ついていた。手で引くと意外にも扉はゆるりと開き、内部に棚が設（しつら）えてあるのが見えた。そこには一抱えもある大きな、青いガラス瓶がならんでいた。胴体にはクロロフォルムと記されていた。とはいえ瓶は栓が抜かれ中身は空だった。クロロフォルムが麻酔薬であることを調べた私は、それが一体何に使われたのか思いを巡らせた。

小学校に隣接して打ち捨てられた木造の建物があった。その場所を囲む鉄条網の隙間に、人が通った跡があるのを私たちはすぐに見つけた。そこをくぐって区域内に入った。割れた窓ガラスから覗くと黒くくすんだ廊下に塵がつもっていた。おそらく工兵学校の校舎の一部だったのだろう。建物の前には背の高い草に囲まれた四角い水面が広がっていた。貯水池かプールのように見えたが、満々とたたえられた緑色の水の深さはわからなかった。一度、竹ざおで水深を測ろうとしたが長いさおの先が底を突くことはなかった。

私たちはその秘密の場所に足繁く通った。ギンヤンマが水面をすれすれに飛行し、魚がいるのかときどき釣り人が入り込んで糸をたらしていた。春先には無数の黒いオタマジャクシが水際に押し寄せていた。不思議なことに水は濁ることも枯れることもなく、いつもさざなみが水面を渡っていた。

私たちは水の行方を追って貯水池の反対側を探査した。貯水池の水はその場所で凹型に切り取られた水路から流れ出し、四角い石のふたを乗せた井戸の中に落ちていた。隙間から中をのぞいた誰かが叫び声を上げ、私たちは一斉に駆け寄った。太陽光が高い位置から井戸の内部に射し込み底に明るく届いていた。そして、そこには数え切れないほどのヒキガエルがうごめいているのが見えた。それも小さいものから大きいものまで。貯水池で毎年孵るオタマジャクシは、こうして世代を超えてここに結集していたのだ。

このようにしてすべての季節を通じ、毎日毎日、驚くべき発見があった。

アオスジアゲハは小型のアゲハチョウで、黒いビロード地の羽に、四角い斑点が、小さなガラスブロックを端正に並べたように縦向きに走っている。その斑点の色彩は、透きとおるように鮮やかなミントブルーをしている。

アオスジアゲハが好む樹木は、羽のミントブルーにたがわずクスノキである。アオスジアゲハはクスノキの葉に産卵する。卵から孵った幼虫はせっせと薫り高い葉っぱを食べて成長していく。幼虫の姿もまたなかなかに気高い。凡百の青虫や毛虫とは一線を画し、クスノキと同じ濃い緑色に、腰高の曲線がすっと流れている。数週間するとたっぷりとクスノキの葉を食べた幼虫はサナギになる。サナギもまた鮮やかな緑色の優美な形をしている。まるでイタリアのインテリアデザイナーが作ったモダンな造形のようだ。

サナギはクスノキの葉の裏に、細いけれど丈夫な透明の糸でつながっている。その色はクスノキの葉の色に擬態しているので、よく目を凝らしてゆっくりと探さないと見つけることができない。

小学校へ通う途中、当時、短大だった敷地の外側に沿ってクスノキが植えられていた。樹々の間を抜けつ戻りつ、いつもたくさんのアオスジアゲハが舞っていた。休みの日、私はクスノキを一本ずつめぐってアオスジアゲハのサナギを探した。不思議なことに、サナギは意外なほど低い場所に、こっそり息を潜めて存在していることがある。そんなサナギを発見するといつも胸が高鳴った。

いつの間にか私はアオスジアゲハのサナギを見つけることがとてもうまくなっていた。サナギがついた枝を折って、家に持ち帰る。枝を花瓶に挿して毎日観察する。緑色の硬い宝石のようなサナギは、日がたつにつれ徐々に変化してくる。殻がだんだん薄くなり内部がうっすらと透けて見えるようになる。中に複雑な文様が浮かび上がってくる。幼虫が蝶に変わること。これほど劇的なメタモルフォーゼは他にはない。そのすべてがこの小さなサナギの内部で進行しているのだ。

二週間ほどするとその日が来る。羽化だ。サナギの背中が割れ、蝶が姿を現す。このとき蝶はまだ濡れそぼった糸くずのようにくしゃくしゃで、今自分が出てきたばかりのサナギの殻に、せわしなく脚や触角を動かしながら必死にしがみついている。やがて羽の細い翅脈（しみゃく）の一本一本に生命がみなぎってくると、青い斑点が黒地の羽の中に一直線に並ぶ。アオスジアゲハの完成である。蝶は二、三度ためらいがちに羽を閉じたり開いたりして、ふと次の瞬間に、空中へ飛び立つ。おぼつかないようでいて、蝶はどんどん高度を上げていく。やがて蝶は視界から消える。

アオスジアゲハの産卵と羽化は春先から秋まで何度もそのサイクルが繰り返される。私はあきもせず、サナギを集めては羽化の瞬間を待った。秋の一番最後に生まれた幼虫だけはその年、蝶にならない。たっぷりとクスノキの葉を食べた後、次の年の春へと新たな命をつなぐため、サナギの姿のままその冬を越す。

春先初めてのアオスジアゲハの可憐な姿を見たくなった私は、秋の終わりにクスノキを回ってサナギを採集し、それを入れた虫かごを物置の奥の安全な場所にそっとおいた。やがて冬がやってきた。私の日常にはとりたてて変化がなかった。友達と遊び、本を読み、学校に通った。そして、あろうことか、私はアオスジアゲハのことをすっかり忘れてしまったのである。

春になり、学年がひとつあがり、クラス替えがあり、新しい友達ができた。気温が上がり、夏が近いことを知らせた。短大のキャンパスのクスノキは青々と茂り、アオスジアゲハが舞う季節が来た。私ははっとした。そのときになってようやく思い出したのだ。たくさんのサナギを採集してかごに入れて保管したことを。

私は一瞬、それがどれくらい前のことなのか、きちんと思い出すことができなかった。しかし、それはまぎれもなく前年の秋のことだった。ヒスイのようなアオスジアゲハのサナギをひとつひとつ丁寧にかごに入れたことを、私はありありと思い出した。私は指を折って数えてみた。ゆうに七ヵ月がたっている。これだけの時間が経過していて、サナギたちがそのままサナギであるはずはない。

私はこわかった。しかし、同時に、私はそれを見ないでいることもできなかった。暗い物置に入り、かごを置いたはずの場所の前に立った。私はかごをそっと持ち上げて手前に引き寄せた。何の気配もなく、何の音もしなかった。私はかごを明るい場所に運んだ。

十個以上あったはずのサナギはすべて羽化していた。羽化したアオスジアゲハは、あるものはかごの上部に細い脚を絡ませたまま、またあるものは下部におりかさなるようにして、それでいて羽をきれいに開いたまま、ほとんど何の損傷もなく完全に乾燥していた。そして蝶たちは、まるで生きているかのように、羽の鮮やかなブルーを完璧に保っていた。

都市化の界面は容赦なくその前線を進めていた。それに伴って時間の界面もおぼろげに溶解され、塗りこめられていった。工兵学校の廃墟はまもなくきれいな公園の花壇に様変わりし、防空壕の場所もわからなくなった。公園の入り口には、工兵学校の記憶を唯一とどめるレンガの門柱と門衛所が残された。

門の両側には大きな雌雄のイチョウの樹が対になってある。おそらくそれは陸軍工兵学校が設置されたときに植えられたものだろう。秋になると鮮やかな黄色に変わる一対のイチョウの樹は、よく見ると枝ぶりが明らかに異なっていた。葉が落ちて裸になる速度も違う。そして銀杏の実は片方の樹にしかならない。それが意味するところもまた私たちが発見した小さな気づきのひとつだった。

カエルがいた貯水池も一日のうちに埋め立てられた。小学校の階上から、ブルドーザーとトラックが次々とやってくるのを私はぼんやりと眺めていた。乾いた更地になったその場所には急作りの、大蔵省の関税研究所が立ち上がった。登下校時にその真新しい表札を見ながら、建物の内部でどのような〝研究〟が行われているのか私は訝った。そして、この場所にあった幻の池のことを思った。

今回、再訪した際には、その研究所も姿を消し、再び、この場所は更地になっていた。そこには大学の施設の建設予定板が掲げられていた。ずっと昔、ここにはキラキラと光る緑の水面があったのだ。そこには無数のかそけき生命がひそやかに連鎖していた。今となっては、そのことを知っているのは私だけなのだ。

ある日、住宅のはずれの植え込みの陰に小さな楕円形の白い卵を見つけた。トカゲの卵だった。その場所にいつもトカゲたちが出没するのを私は知っていたので、その卵が何であるかすぐにわかった。

私はそれをそっと持ち帰って土を敷いた小箱にいれて毎日観察した。乾き過ぎないように時々霧噴きで湿り気を与えた。しかし何日待っても何事も起きなかった。トカゲの卵が孵化するのに季節によっては二ヵ月以上を要することまでは、当時の私にはわからなかったのだ。

少年の心はずっとはやっていた。待ちきれなくなった私は、卵に微小な穴を開けて内部を見てみようと決意した。もし内部が〝生きて〟いたらそっと殻を閉じればいい。私は準備した針とピンセットを使って注意深く、殻を小さく四角形に切り取って覗き穴を作った。するとどうだろう。中には、卵黄をお腹に抱いた小さなトカゲの赤ちゃんが、不釣合いに大きな頭を丸めるように静かに眠っていた。

次の瞬間、私は見てはいけないものを見たような気がして、すぐにふたを閉じようとした。まもなく私は、自分が行ってしまったことが取り返しのつかないことを悟った。殻を接着剤で閉じることはできても、そこに息づいていたものを元通りにすることはできないということを。いったん外気に触れたトカゲの赤ちゃんは、徐々に腐り始め、形が溶けていった。

この体験は長い間、苦い思いとともに私の内部に澱となって残った。まぎれもなく、これは私にとってのセンス・オブ・ワンダーであったのだ。それはこうして生物学者になった今でも、どこかに宿っている諦観のようなものかもしれない。

生命という名の動的な平衡は、それ自体、いずれの瞬間でも危ういまでのバランスをとりつつ、同時に時間軸の上を一方向にたどりながら折りたたまれている。それが動的な平衡の謂いである。それは決して逆戻りのできない営みであり、同時に、どの瞬間でもすでに完成された仕組みなのである。

これを乱すような操作的な介入を行えば、動的平衡は取り返しのつかないダメージを受ける。もし平衡状態が表向き、大きく変化しないように見えても、それはこの動的な仕組みが滑らかで、やわらかいがゆえに、操作を一時的に吸収したからにすぎない。そこでは何かが変形され、何かが損なわれている。生命と環境との相互作用が一回限りの折り紙であるという意味からは、介入が、この一回性の運動を異なる岐路へ導いたことに変わりはない。

私たちは、自然の流れの前に跪(ひざまず)く以外に、そして生命のありようをただ記述すること以外に、なすすべはないのである。それは実のところ、あの少年の日々からすでにずっと自明のことだったのだ。

初出　『本』二〇〇五年七月号、二〇〇六年三月号～二〇〇七年六月号

講談社現代新書　1891

生物と無生物のあいだ

二〇〇七年五月二〇日第一刷発行　二〇二五年三月四日第六〇刷発行

著者　福岡伸一　© Shin-Ichi Fukuoka 2007

発行者　篠木和久

発行所　株式会社講談社

東京都文京区音羽二丁目一二―二一　郵便番号一一二―八〇〇一

電話　〇三―五三九五―三五二一　編集（現代新書）

〇三―五三九五―五八一七　販売

〇三―五三九五―三六一五　業務

装幀者　中島英樹

印刷所　ＴＯＰＰＡＮ株式会社

製本所　株式会社国宝社

定価はカバーに表示してあります　Printed in Japan

N.D.C. 460　286p　18cm

ISBN978-4-06-149891-4

「講談社現代新書」の刊行にあたって

教養は万人が身をもって養い創造すべきものであって、一部の専門家の占有物として、ただ一方的に人々の手もとに配布され伝達されうるものではありません。

しかし、不幸にしてわが国の現状では、教養の重要な養いとなるべき書物は、ほとんど講壇からの天下りや単なる解説に終始し、知識技術を真剣に希求する青少年・学生・一般民衆の根本的な疑問や興味は、けっして十分に答えられ、解きほぐされ、手引きされることがありません。万人の内奥から発した真正の教養への芽ばえが、こうして放置され、むなしく滅びさる運命にゆだねられているのです。

このことは、中・高校だけで教育をおわる人々の成長をはばんでいるだけでなく、大学に進んだり、インテリと目されたりする人々の精神力の健康さえもむしばみ、わが国の文化の実質をまことに脆弱なものにしています。単なる博識以上の根強い思索力・判断力、および確かな技術にささえられた教養を必要とする日本の将来にとって、これは真剣に憂慮されなければならない事態であるといわなければなりません。

わたしたちの「講談社現代新書」は、この事態の克服を意図して計画されたものです。これによってわたしたちは、講壇からの天下りでもなく、単なる解説書でもない、もっぱら万人の魂に生ずる初発的かつ根本的な問題をとらえ、掘り起こし、手引きし、しかも最新の知識への展望を万人に確立させる書物を、新しく世の中に送り出したいと念願しています。

わたしたちは、創業以来民衆を対象とする啓蒙の仕事に専心してきた講談社にとって、これこそもっともふさわしい課題であり、伝統ある出版社としての義務でもあると考えているのです。

一九六四年四月　野間省一